А. А. Акишина
О. Е. Каган

УЧИМСЯ УЧИТЬ

ДЛЯ ПРЕПОДАВАТЕЛЯ РУССКОГО ЯЗЫКА КАК ИНОСТРАННОГО

2-е издание, исправленное и дополненное

РУССКИЙ ЯЗЫК
КУРСЫ

Москва
2002

УДК 372.881.116.11-054.6
ББК 81.2 Рус-96
    А39

Акишина А. А., Каган О. Е.

А39   **Учимся учить:** Для преподавателя русского языка как
иностранного. — 2-е изд., испр. и доп. — М.: Рус. яз. Курсы,
2002. — 256 с.

ISBN 5-88337-044-6

Книга посвящена проблемам методики преподавания русского
языка иностранцам, приемам, которые помогают успешнее преподавать русский язык. В ней описаны психологические основы усвоения
русского языка учащимися, изложено современное понимание того,
как надо преподавать, даются практические рекомендации по организации занятий.

Адресована молодым преподавателям русского языка, студентам
старших курсов, специализирующимся в области русского языка, литературы и культуры, всем, кто преподает или собирается преподавать
русский язык в России и других странах.

УДК 372.881.116.11-054.6
ББК 81.2 Рус-96

ПРЕДИСЛОВИЕ

Книга посвящена **проблемам методики** преподавания русского языка как иностранного, т. е. приемам, которые помогают успешнее, эффективнее преподавать русский язык. В книге рассматривается многообразие методов: их сильные и слабые стороны, общие проблемы, волнующие педагогов на протяжении всей истории преподавания. Изложено современное понимание того, как надо преподавать, описаны психологические основы усвоения русского языка студентами, рассказывается, как преподаватель может воздействовать на аудиторию, какие лучше использовать упражнения в каждом конкретном случае и что при этом преподаватель может ожидать. Здесь он получит рекомендации, как избежать недочетов в работе над грамматикой, лексикой и фонетикой. Он узнает, какие приемы работы накопились сегодня для успешного развития у студентов навыков говорения, слушания, чтения, письма. Книга поможет начинающим преподавателям осознать свою роль в процессе обучения, понять психологию студентов, организовать учебный процесс, выбрать эффективные виды работы. Задача книги — помочь всем, кто входит в аудиторию как преподаватель, осознать свою педагогическую деятельность и совершенствовать ее.

Эта книга ни в коей мере не конкурирует с имеющимися учебниками, поскольку она не учебник, а рекомендации, как лучше использовать учебник на занятии. Она не заменяет и книг по грамматике, так как задача этого пособия — не анализ грамматических явлений, а советы, как их лучше представлять.

Книги, посвященные проблемам преподавания, актуальны до тех пор, пока существует само преподавание. Но долгое время специалисты разных стран пользовались методическими рекомендациями, которые публиковались в советской русистике. В настоящее время этот рынок пустеет, а необходимость получить ответы на волнующие преподавателя вопросы осталась. Исследования по методике преподавания иностранных языков также не могут полностью помочь преподавателю, так как не отвечают на конкретные вопросы преподавания русского языка.

Кроме того, в последнее время все яснее осознается, что преподавание языка в стране изучаемого языка и в стране родного языка различно, это также породило необходимость написать рекомендации для преподавания русского языка студентам, обучающимся как в своих странах, так и в России.

Предлагаемая книга — это учебное пособие для всех молодых преподавателей русского языка, для студентов старших курсов, специализирующихся в области русского языка, литературы и культуры, для тех, кто преподает или собирается преподавать русский язык в России и других странах.

Раздел 1
ОБЩИЕ ПРОБЛЕМЫ МЕТОДИКИ

- ◆ ОСНОВНЫЕ ПОНЯТИЯ МЕТОДИКИ
- ◆ МЕТОДЫ ПРЕПОДАВАНИЯ (Общая характеристика)
- ◆ КОММУНИКАТИВНОЕ ОБУЧЕНИЕ ИНОСТРАННОМУ ЯЗЫКУ. МОДЕЛЬ УРОКА
- ◆ УРОВНИ ВЛАДЕНИЯ ИНОСТРАННЫМ ЯЗЫКОМ

ОСНОВНЫЕ ПОНЯТИЯ МЕТОДИКИ

Проблемы преподавания иностранного языка изучаются **методикой.** И хотя люди изучали чужие языки веками, методика начала развиваться не так давно. Ее развитие тесно связано с прикладной лингвистикой, социолингвистикой, педагогикой, психологией.

Проблематика методики довольно широка: она включает и описание предмета преподавания иностранного языка, и проблемы психологии, и вопросы технологии обучения.

Рассматривается проблема отбора речевого материала (*Что?*) и его представления в учебниках и учебной аудитории в зависимости от:

- целей преподавания (***Зачем? Для чего? В какую речевую деятельность выйдет учащийся?***),
- времени обучения (***Как долго?***),
- плотности часов (***Сколько часов в неделю?***)
- уровня владения языком (***Какой уровень?***).

Исследуется, как предъявлять материал учащимся, как его закреплять с учетом типов учащихся, как выводить учащихся в естественное общение (*Как?*).

Вечными в методике являются вопросы:

1. Каковы цели обучения? И каков отбор материала с учетом этих целей?
2. Какие приемы и методы способствуют достижению цели?
3. Как последовательно идти к цели?
4. Как проверять результаты обучения?

ПРИНЦИПЫ

Основными принципами современного обучения являются:

1. **Коммуникативная,** практическая направленность обучения.
2. **Функциональный** подход, т. е. включение реальных тем, ситуаций, проблем в обучение, приближение учебной деятельности к естественным условиям общения.
3. **Поэтапность** обучения и **цикличность**.
4. **Индивидуализация** обучения, т. е. учет коммуникативных потребностей и индивидуальных особенностей учащихся.
5. Учет специфики и интеграции всех **видов речевой деятельности:** говорения, аудирования, чтения и письма при их взаимодействии. Формирование умений продуктивной и репродуктивной деятельности.
6. Воздействие на **сознательные и подсознательные** процессы при изучении языка.
7. Учет влияния **родного языка** учащихся на изучаемый.

ЗНАНИЯ, УМЕНИЯ, НАВЫКИ

В современной методической литературе встречаются такие понятия, как *знания, умения, навыки*. Известно, что **знания** о языке не дают возможности говорить на языке. Чтобы начать говорить, надо автоматически выполнять речевые операции, т. е. должны быть сформированы **речевые навыки.** Но и этого недостаточно для общения, так как надо еще научиться пользоваться знаниями и навыками для выражения собственных мыслей, для реагирования на слова собеседников, т. е. должны быть выработаны **умения.**

Например, преподаватель объясняет, как образуется форма предложного падежа существительных в значении места, а затем просит студентов поставить существительное в предложный падеж:

Париж	—	*в Париже;*
Москва	—	*в Москве;*
почта	—	*на почте;*
общежитие	—	*в общежитии.*

В данном случае даются и закрепляются *знания* предложного падежа. Затем преподаватель дает серию упражнений для автоматизации этой формы в речи:

Где вы родились? — В Вашингтоне. В Петербурге...

Таким образом в личном контексте вырабатываются *навыки* употребления этой формы.

Следующий этап — выработка умения пользоваться этой формой в свободной речи. Преподаватель предлагает студентам разыграть ситуации, требующие употребления этого падежа: «*Познакомьтесь друг с другом, расскажите, где вы родились, жили, учились?*» Происходит расширение и углубление контекста, перенос навыка в новые ситуации.

КОМПЕТЕНЦИИ

Сейчас принято говорить о трех видах компетенции, которые должны быть сформированы у студентов:

1) **языковая** (лингвистическая) — понимание и знание языка (в американской литературе ее называют декларативной);

2) **речевая** — навыки и умения строить речь по правилам;

3) **коммуникативная** — навыки и умения общаться на языке с разными людьми в разных обстоятельствах. Особое внимание уделяется коммуникативным умениям, т. е. умениям решать неречевые задачи речевыми средствами. Современные методы обучения именно этому уделяют особое внимание (речевая и коммуникативная компетенции в англоязычной методической литературе именуются процессуальными).

Примеры ошибок в разных видах компетенций

На вопрос о времени: «*Который час?*» — студент отвечает:

1) **Без пятнадцать минут два часа.*

Языковая ошибка; нарушена форма числительного, но речевая и коммуникативная компетенции налицо.

2) **Пятнадцать минут до двух.*

Нарушение речевой компетенции, так не принято говорить, хотя языковая и коммуникативная компетенции присутствуют.

3) **Он был вчера.*

Нет языкового и речевого нарушения, но нарушена коммуникативная компетенция: студент не понял вопроса, — общения не происходит.

МОТИВ, НАМЕРЕНИЕ, ЦЕЛЬ

Что надо знать о механизме порождения речи, чтобы понять, почему современная методика отдает предпочтение коммуникативному подходу в обучении?

Прежде всего, чтобы возникла речь, необходимо желание или потребность сказать — **мотив** (например, я хочу есть, но не знаю, что мне съесть, у меня возникает потребность спросить об этом). Мотив порождает **намерение** (интенцию), т. е. путь, который позволит достичь цели (например, 1) я должна спросить, что мне съесть; 2) я должна пожаловаться, что я голодна; 3) я могу попросить есть). Выбор пути зависит от многих факторов (где и с кем я говорю, в каких я с ним взаимоотношениях и т. д.). Выбрав путь, говорящий реализует намерения в определенных речевых высказываниях или неречевых действиях. Если возникло намерение попросить есть, его можно реализовать в речи так: 1) *Хорошо бы поесть!* 2) *Дай мне поесть что-нибудь;* 3) *Можно съесть что-нибудь?* 4) *У нас есть какая-нибудь еда?* и т. д.

Механизм порождения речи

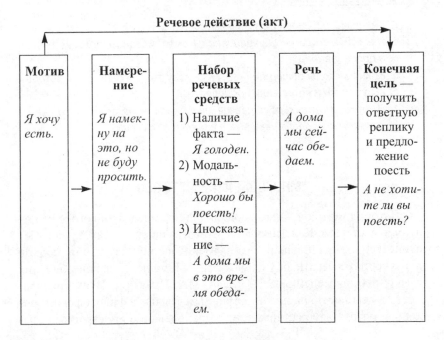

Речь может служить для достижения как речевой, так и неречевой цели. Иными словами, мы говорим для того, чтобы с помощью речи решать все возможные жизненные задачи: например, делиться с другими людьми знаниями, убеждать их, управлять их поступками, выражать собственные мнения и эмоции, заниматься трудовой деятельностью и т. д.

В методике большое внимание уделяют *мотивированности* речи (как вызвать у учащегося потребность говорить), *целеполаганию* (как научить планировать речь для решения поставленных целей), отсюда и появляются в учебниках такие задания: «*Вы голодны, попросите поесть (в ресторане, у друга и т. д.)*».

Наиболее важным для преподавания является понимание внеречевой мотивации речевых действий. Это дает возможность организовать занятия с учетом естественных внеаудиторных ситуаций.

МЕТОДЫ ПРЕПОДАВАНИЯ
(Общая характеристика)

ДАВАЙТЕ ОБСУДИМ:

1. Какие методы преподавания языков вы знаете?
2. Какими методами обучали вас? Каким методом пользуетесь вы в преподавании?
3. Какие методы были положены в основу тех учебников, по которым вы учились (учитесь или преподаете)?
4. В каких методах обращается особенное внимание на то, чтобы полностью вовлечь учащегося в процесс обучения?

МНОГООБРАЗИЕ МЕТОДОВ

История методов — это «война» одного метода, нового, с действующим, старым. Каждый метод, отвергая предыдущий, предлагает единственно правильный с его точки зрения «лучший» подход к изучению языка и обучению языку. Келли (25 веков обучения языку: 500 до нашей эры. — Роули, МА: Ньюбери, 1969) анализирует 25-вековое обучение иностранным языкам и философские подходы и методы, существовавшие в преподавании иностранных языков на этом протяжении. Келли изучает различия и сходства в подходах и методах преподавания разных аспектов языка: говорения, чтения, письма, а также поднавыков: грамматики и фонетики[1]. Вот некоторые примеры из книги Келли того, как методические направления возникают, исчезают и появляются снова.

Уже во времена Римской империи преподаватели языков искали ответы на те же вопросы, на которые мы стараемся ответить сейчас. Келли прослеживает прямой метод, основанный на ассоциациях и связях между предметом и словом от Св. Августина (389 г. до н. э.). Св. Августин писал, что если мы слышим звук, то не понимаем, слово ли это, «пока не узнаем, что это слово значит. Только когда мы устанавливаем связь между предметами, мы понимаем значение». Моравский епископ Коменский (середина XVII в.) считал, что в классе и учитель, и ученики должны быть постоянно включены в деятельность, что после демонстрации учителем правила или модели ученики должны активно отрабатывать их. Этот же принцип использовался в школах Песталоцци, который писал, что, если ученик слышит просьбу закрыть дверь, но не видит, как дверь закрывается, обучения не происходит. В 1970-е гг. Ашер предложил метод действия, основанный именно на этом принципе.

Демонстрация и активное участие были важными принципами натурального метода. Приверженцы натурального метода в XIX в. отвергали перевод с такой же уверенностью, с какой его отвергали сторонники коммуникативного подхода в 80-е гг. XX в.

Уже в начале XX в. сторонники прямого метода использовали при обучении реалии, встречающиеся в обыденной жизни, — билеты, монеты, марки и различные тексты, которые снова стали выполнять роль наглядных пособий на занятиях. Постепенно эта идея утратила свою актуальность, так как основное место заняли тексты, написанные специально для учебников, и возродилась только в 80-е гг., когда получило развитие движение коммуникативной компетенции.

Интересно проследить, например, за изменением отношения к переводу как педагогическому приему. Двуязычные словари стали неотъемлемой частью занятий только в конце XVIII в. До этого еще

---

[1] Интересно, что Келли, выделяя говорение, чтение и письмо в отдельные разделы монографии, не рассматривает обучение слушанию. В настоящее же время это является злободневным вопросом методики преподавания русского языка как иностранного во всех странах.

в школах Римской империи применялся прием перифразы. В XIX в. переводной метод стал стандартным методом преподавания. И даже сторонники прямого метода вначале не отвергали перевод и отказались от него полностью довольно поздно.

Вопросы перевода продолжают возникать и сейчас: какова же его роль в активном освоении языка?

В I в. до н. э. римские грамматисты вводили слова в контексте, чтобы продемонстрировать их значение. В XIX—XX вв. контекст некоторыми авторами нередко заменялся отдельными предложениями, и в конце 80-х гг. приверженцы коммуникативного обучения вели борьбу за то, чтобы вернуть контекст в учебники и на уроки иностранного языка. В начале XX в. Пальмер возражал против использования только одного метода в преподавании языка и предлагал совмещать различные методы. И сейчас говорят о «постметодическом» периоде преподавания иностранных языков с применением смешанных методических приемов разных школ и направлений.

Описанное выше показывает, что при создании новых методов постоянно используются элементы того, что было сделано раньше. Развитие идет как бы по спирали. В настоящее время на новом витке спирали особое внимание уделяется стилям и стратегиям обучения с учетом различий между учащимися. Произошло смещение фокуса с преподавания на обучение, с учителя на учащегося. На основании понимания того, как отдельные учащиеся усваивают язык (стили обучения), и того, что нужно, чтобы усвоение происходило более эффективно (стратегии обучения), и строятся современные подходы в методике.

Почему в преподавании иностранного языка существует огромное количество школ, направлений, методов? Почему возникали, возникают и еще будут возникать взаимоисключающие или взаимодополняющие методы обучения второму или иностранному языку? Казалось бы, преподавание всех дисциплин связано с такими вопросами, как:

1. *Что* преподается? *Каким образом* и в *каком количестве* отбирается и располагается материал?

2. *Как* преподается предмет? Какой должна быть система упражнений? Какие знания, умения и навыки должна сформировать эта система?

3. Каковы взаимоотношения учащихся и преподавателя, а также учащихся между собой?

Если схематично изобразить учебный процесс изучения иностранного языка, то получится такая схема.

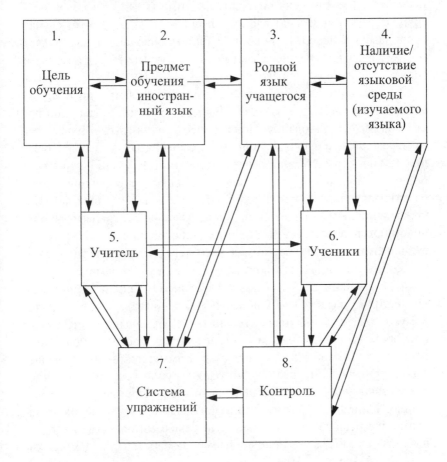

В центре схемы находятся ученик и учитель в их взаимодействии, предмет обучения и система упражнений. И уже здесь возникает возможность разного подхода к обучению.

Предмет обучения (звено **2**). Язык представляет собой очень сложный феномен, который может быть описан с разных точек зрения, что, в свою очередь, влияет на определение целей обучения (звено **1**) и на систему упражнений (звено **7**).

1. *Язык — это система и структура* звуков, слов и конструкций. Носитель языка владеет этой системой, т. е. имеет языковую компетенцию. Студенты, изучающие иностранный язык, должны получить знания о языке и научиться пользоваться этими знаниями. Если это конечная цель обучения, мы имеем дело с грамматическим, структурным направлением в преподавании. В этом случае преподаватель использует схемы, таблицы, обобщает, представляет систему языка, а учащиеся учат слова, составляют предложения и спрягают, склоняют, переводят.

2. *Язык —* не только система и структура форм, но и *их реализация в речи,* которая, в свою очередь, обладает правилами построения и использования. Понимание отличия языка от речи тут же отразилось на преподавании иностранных языков. Целью изучения стало формирование речевых умений, т. е. умений строить и понимать множество фраз путем тренировки, репродукции и проработки исходных текстов (моделей, образцов). Основными стали упражнения, манипулирующие с предложениями: трансформация, подстановка, перестановка. Все это хорошо видно на опыте прямого, аудиовизуального, аудиолингвального методов преподавания.

3. С 70-х гг. *язык* рассматривается не только в терминах языка и речи, но и в понятиях *общение, коммуникация.* Использование языковой структуры и речевых моделей в общении зависит от того, кто, кому, когда, с какой целью говорит, т. е. от внелингвистических факторов, которые также должны изучаться, поскольку без этого невозможна жизнь языка в обществе. Коммуникативное описание языка привело к появлению методов: группового, натурального, коммуникативного, суггестопедического обучения речевому поведению. Типичными для этих методов являются упражнения, предлагающие решать внеязыковые цели речевыми средствами (ролевые, деловые игры, решение проблем и разработка проблемных ситуаций) [Акишина, 13].

Итак, три взгляда на природу языка ведут к различным методам (см. табл. 1).

Цели обучения (звено 1) определяют подход к преподаванию в каждом частном случае, что особенно заметно стало проявляться в последнее время: создание учебников для курсовой и университетской аудитории, для филологов и нефилологов, для бизнесменов, туристов и т. д. Кроме того, издаются учебники, делающие упор на говорение или на слушание, и т. д.

Использование родного языка учащихся (звено **3**) характеризует методы следующим образом.

1. Опора на родной язык, постоянный перевод слов, фраз (переводно-грамматический метод).

2. Использование родного языка преимущественно для сопоставления языковых и культурологических явлений и ограниченное его употребление на начальной стадии для объяснения (когнитивный, коммуникативный методы).

3. Полное исключение родного языка (прямой, аудиовизуальный, аудиолингвальный, молчаливый методы).

Наличие/отсутствие языковой среды (звено **4**). Учет таких различий привел к разграничению понятий: *изучение иностранного языка* — когда язык преподается в среде родного языка, и *изучение второго языка* — когда языку обучаются в среде изучаемого языка. От того, в каких условиях проводится обучение, зависит отбор материала, комментирование, планирование уроков.

Учитель и ученики и их взаимодействие (звено **5, 6**) также по-разному определяются в методах:

1. *Учитель — субъект учебного процесса,* ученик — объект обучения. Это субординационное положение ученика отражено в большинстве методов (аудиолингвальный, аудиовизуальный, переводно-грамматический, метод действий).

2. *Ученик — активно действующий субъект* учебного процесса. Отношение ученика и учителя как субъектно-субъектное взаимодействие (натуральный, коммуникативный методы).

3. *Ученик — главная фигура учебного процесса,* учитель лишь советник, помощник (групповой, молчаливый, суггестопедический методы, обучение речевому поведению).

Контроль (звено **8**) также по-разному осуществляется в методах. Есть сторонники жесткого контроля и недопущения ошибок в речи учащихся. Есть сторонники мягкого контроля, но они нетерпимы к ошибкам. Наконец, есть сторонники отрицания оценочного контроля, отстаивающие право учащихся делать ошибки.

Методы

	Переводно-грамматический метод	Прямой (активный) метод
Принципы отбора материала	Набор лексики и грамматических структур. Неразличение понятий «язык» и «речь»	Речевые образцы. Различение понятий «язык» и «речь»
Усвоение нового материала	Анализ грамматических моделей, слово-форм. Сознательное запоминание через переводы	Второй язык усваивается как родной язык: важно не анализировать, а употреблять
Цели	Обучение четырем видам речевой деятельности. Приоритет чтения и письма	Приоритет устной речи. Автоматизм употребления речевых образцов: умение строить и понимать речевые высказывания
Программа, принципы составления учебных материалов	Описание грамматических структур. Списки слов. Переводы предложений	Набор тем, ситуаций и речевых образцов
Типы деятельности	Заучивание структур и слов. Перевод как главный тип упражнения	Тренаж (дрилл). Автоматизация речевых образцов. Нет перевода
Роль ученика	Заучивание дома большого количества форм	Главное — многократное повторение и запоминание как в классе, так и дома
Роль учителя	Объяснение, анализ, контроль	Образец речи, тренажер и контролер
Роль учебных материалов	Система упражнений и учебных текстов	Упражнения, учебные тексты и много реальных материалов

Продолжение

	Когнитивный, сознательно-практический методы	Аудиолингвальный метод
Принципы отбора материала	Набор лексико-грамматических образцов и их речевая реализация	Система структур. Структуры даются по принципу от простого к сложному
Усвоение нового материала	«Осознание» теоретических сведений, анализ и заучивание структурных схем. Употребление речевых образцов с учетом сопоставления родного и второго языка	Главное — аналогия, а не анализ. Запоминание — в центре. Звучащая речь — в центре
Цели	Обучение практическому владению языком в четырех видах речевой деятельности, развитие умений и навыков	Умение использовать и порождать структуры, чтобы общаться с носителем языка
Программа, принципы составления учебных материалов	Иерархическое расположение лексико-грамматических структур	Контрастивный анализ фонетики, лексики, грамматики
Типы деятельности	Системы языковых и речевых упражнений различного типа. Родной язык используется для объяснения и сопоставления	Тренаж (дрилл). Много диалогов, которые заучиваются. Заучиваются модели с многократной подстановкой элементов
Роль ученика	Главное — анализаторская, познавательная деятельность	Пассивная роль. Главное — уметь дать правильный ответ и реагировать на команды
Роль учителя	Управление анализаторской деятельностью учащегося, развитие ее	Доминирующая роль, направление деятельности учащегося
Роль учебных материалов	Урок ведется по учебнику, много схем, таблиц, упражнений	Есть учебник, но учитель создает много своих материалов, карточек. Ученики много работают в лаборатории

	Аудиовизуальный метод	Натуральный метод
Принципы отбора материала	Набор речевых образцов в соответствии с ситуацией	Главное — значение, смысл. В центре — слово с его значением
Усвоение нового материала	Главное — запоминание слова с опорой на рисунок	Язык усваивается через сознание и интуицию. Использование интуиции
Цели	Умения быстро реагировать на речевые ситуации. Приоритет устной речи	Развитие коммуникативных умений
Программа, принципы составления учебных материалов	Набор тем, ситуаций, речевых образцов и их зрительного выражения	Набор тем, ситуаций, действий, которые определяются интересами учащихся
Типы деятельности	Тренаж (дрилл). Заучиваются модели: «Что вы скажете в этой ситуации?»	Все виды деятельности, которые есть в естественной речи. Главное — значение, смысл
Роль ученика	Пассивна. Главное — чтобы ответ соответствовал визуальному ряду	Активное участие в коммуникации
Роль учителя	Главная фигура учебного процесса	Создает атмосферу, является источником информации
Роль учебных материалов	Есть учебник и визуальные материалы: слайды, картинки и кинофильмы (видеофильмы)	Больше реальных материалов (аутеничных текстов,) чем учебных

Продолжение

	Ситуативный метод	Метод действий
Принципы отбора материала	Набор ситуаций и речевых образцов	Набор грамматических структур и команд
Усвоение нового материала	Запоминание речевых образцов в ситуациях	Второй язык усваивается как родной язык детьми — через правое полушарие мозга. Главное — действовать в языке
Цели	Приоритет устной речи при обучении четырем видам речевой деятельности	Общаться без стеснения
Программа, принципы составления учебных материалов	Списки ситуаций, лексических единиц и грамматических структур, расписанных по ситуациям	Набор грамматических структур и лексики
Типы деятельности	Тренаж (дрилл). Многократное повторение. Нет перевода. Нет объяснений. Не разрешаются ошибки	Физическая реакция на команды. Многократные физические действия. Родной язык не используется
Роль ученика	Слушать и много раз повторять: имитационная деятельность	Слушать и выполнять команды учителя, самому давать команды
Роль учителя	Образец речи, контролер, организатор всех типов упражнений	Активна: дирижер дает команды
Роль учебных материалов	В центре — учебник и визуальные материалы. Модель урока отражает модель учебника	Сначала текстов нет, только голос учителя, его жест, мимика. Позже вводятся тексты

	Молчаливый метод	Групповой (коммунальный) метод
Принципы отбора материала	Набор языковых элементов. В центре — «дух языка»	Язык — больше, чем система. Это вовлечение всей личности в межличностное общение
Усвоение нового материала	Второй язык усваивается не так, как родной. Это познавательный процесс	Ученик должен быть вовлечен в социальный процесс, как ребенок в родном языке
Цели	Научить учиться, знать грамматику, уметь говорить с носителем языка	Главное — выход в свободное общение
Программа, принципы составления учебных материалов	Набор грамматических структур и лексики	Нет программ. Отбор лексики, грамматики зависит от темы, которая интересует учащихся
Типы деятельности	Объяснений нет. Вырабатывается реакция на команды и ключи (предметы)	Совместная работа группы и наблюдение учителя. Используется перевод
Роль ученика	Отвечает за успех в учебе сам	Участвует в общении, а не учится, как это общепринято
Роль учителя	Учит, тестирует и в нужную минуту устраняется, передавая инициативу учащимся	Советчик, помощник, но не руководитель
Роль учебных материалов	Предметы и различные уникальные материалы	Нет учебных материалов. Они возникают в классе в зависимости от потребностей учащихся

Продолжение

	Суггестопедический метод	Коммуникативный метод
Принципы отбора материала	Главное — текст (полилог) и вовлечённость личности в общение	Система значений и система смыслов. Именно на этом уровне люди общаются. Различение понятий «язык» — «речь» — «общение»
Усвоение нового материала	Опора на сознание и подсознание в состоянии расслабленности. Главное — понимание, запоминание на подсознательном уровне	Язык усваивается во время естественного общения. Теория усвоения языка опирается на социолингвистические, психологические исследования
Цели	Свободное общение. Приоритет устной речи	Свободное общение с носителями языка в четырёх видах речевой деятельности. Развитие функциональных и коммуникативных умений решать коммуникативные задачи
Программа, принципы составления учебных материалов	Отбор ситуаций и тем, лексики и грамматики, связанных с ними. Глобальность материала	Набор тем, ситуаций, функций, коммуникативных задач и их решений
Типы деятельности	Вопросо-ответные реакции, парные и групповые виды работ. Ролевые игры. Допускаются ошибки. Родной язык используется для понимания полилогов	Главное — коммуникация, участие в общении, передача информации и взаимодействие. Родной язык используется для объяснений и контрастивного описания языков
Роль ученика	Пассивна: в него «вкладывается» материал	Субъект общения и постоянно должен действовать
Роль учителя	Образец, дирижёр, руководитель, но он не авторитарен, терпим к ошибкам	Организатор и участник общения
Роль учебных материалов	Полилоги с переводом, кассеты. Все жестко определено во времени и последовательности. Строго заданная структура урока	Есть учебники, но много дополнительных материалов из реальной жизни

ОСНОВНЫЕ ПРИЕМЫ РАБОТЫ В РАЗНЫХ МЕТОДАХ

Переводно-грамматический метод

Широко используется родной язык.

1. Письменная проверка слов путем перевода с родного языка на иностранный и наоборот.

2. Учащиеся читают вслух отрывки из текста.

3. Перевод текста на родной язык.

4. Объяснение новой грамматики на родном языке, примеры берутся из текста.

5. Учащиеся письменно спрягают, склоняют, переводят предложения.

6. Все ошибки исправляются.

Прямой (активный) метод

Преподаватель ведет урок на иностранном языке, родной язык не используется.

1. Приветствие, преподаватель задает вопросы, дает команды.

2. Преподаватель с помощью рисунка вводит новые слова. Вопросы-ответы по картинке.

3. Преподаватель читает вслух текст на ту же тему. Учащиеся повторяют за ним текст.

4. Учащиеся выучивают стихи.

5. Ошибки студентов почти не исправляются.

Аудиолингвальный метод

Родной язык не используется, так как основной принцип — создание «культурного острова».

1. Учащиеся повторяют за учителем новый диалог сначала хором, потом индивидуально. Пониманию диалога способствуют рисунки, жесты, мимика и т. д.

2. Тренировка по образцам. Дается образец, повторяется хором, потом фраза трансформируется и вновь повторяется хором. После этого сравнивается образец и трансформированная фраза и выводится новое грамматическое правило. И вновь по данному правилу идет тренировка (подстановочные упражнения, замена одного предложения другим и т. д.).

3. Закрепление материала по цепочке. Например, схема фразы:

Студент.

Преподаватель: *Я вижу студента.*

Студентка.

1-й ученик: *Я вижу студентку.*

Мальчик.

2-й у ч е н и к: *Я вижу мальчика.*

Девочка.

3-й у ч е н и к: *Я вижу девочку.*

и т. д.

Учащиеся работают в лингафонных лабораториях.

Аудиовизуальный метод

Родной язык не используется.

1. Демонстрируется фильм-текст или слайды. Студенты смотрят, отвечают на вопросы.

2. Затем студенты смотрят фильм второй раз. Преподаватель комментирует кадры, выписывает опорные слова на доске, студенты их проговаривают.

3. Третья демонстрация фильма. Тренировка лексических и грамматических форм. Студенты отвечают на вопросы, употребляют предложения-образцы, составляют предложения-аналоги. Упражнения на подстановку, перестановку, трансформацию предложений.

4. Разыгрываются диалоги по тексту. Студенты комментируют содержание фильма, читают текст, который заменяет диалог. Выполняют письменные задания.

Метод действий

Урок ведется на иностранном языке. Родной язык не используется.

1. Студенты сидят полукругом. Преподаватель дает команды, которые выполняет вместе со студентами, чтобы студенты поняли значения слов.

2. Преподаватель дает команды, и студенты выполняют действия.

3. Студенты дают команды преподавателю и друг другу. Команды могут быть достаточно неожиданными: *«Покажи язык!»*, *«Сядь на стол»*, *«Принеси океан»*. Любопытно, что сторонники этого метода вводят даже абстрактные слова. Слово написано на плакате, и учитель говорит: *«Возьми справедливость у Джона и отдай Ане».*

Групповой (коммунальный) метод

Используются оба языка.

1. Студенты говорят между собой о том, что их интересует. Преподаватель записывает слова, которые необходимы будут студенту

(если он говорил на родном языке), или ошибки (если он говорил на иностранном языке).

2. Преподаватель суммирует разговор.

3. Преподаватель дает всем студентам слова и выражения, которые им понадобятся, чтобы говорить на данную тему.

4. Эти слова (фразы) записываются на доске и анализируются.

5. Студенты работают с карточками, заучивая слова.

6. Работа в парах с использованием старых и новых слов.

Когнитивный, сознательно-практический методы

Родной язык используется для объяснения нового материала и контрастивного описания грамматики и лексики.

1. Новые слова вводятся в контексте, подкрепляются наглядным материалом. Учащиеся отвечают на вопросы с использованием новых слов.

2. Преподаватель объясняет новую грамматическую тему (в начальных группах — на родном, позже — на иностранном языке).

3. Выполняются языковые, речевые и коммуникативные упражнения на тренировку данного правила.

4. Ведутся беседы с использованием новых слов и форм. Учащиеся делятся на группы по два-три человека, у одного из них есть ответы на вопросы, и он контролирует правильность разговора.

5. Все ошибки исправляются.

Натуральный метод

Урок ведется на иностранном языке. Родной язык не используется.

1. Развитие навыков понимания речи: слушание. Учащиеся, слушая текст, исходя из ситуации и следя за жестами, должны понять, кого из студентов описывает преподаватель.

2. Продуцирование речи. Учитель задает вопросы — ученики отвечают.

3. Порождение речи. Игры, проблемные задания.

4. Ошибки не исправляются.

Молчаливый метод

1. Студенты сидят за столом. Преподаватель приносит несколько предметов (палочек), берет один (одну) из них и называет слово.

2. Студенты повторяют это слово хором.

3. Затем каждый повторяет слово.

4. Затем все предметы смешиваются.

5. Каждый студент вытаскивает предмет, за которым закреплено новое слово, и произносит его.

Ситуативный метод

Урок ведется на иностранном языке. Родной язык не используется.

1. Развитие навыков устной речи: слушания и говорения. Учащиеся слушают диалоги, смотрят на преподавателя, который разыгрывает диалог так, чтобы студенты без перевода догадались о смысле. Преподаватель использует ситуативные картинки, видеофильмы и т. п. подсказки ситуации.

2. Студенты многократно повторяют за преподавателем фразы диалога, заучивая их наизусть.

3. Студенты разыгрывают ситуации меняя роли и произнося выученные реплики диалога.

Суггестопедический метод

История обучения иностранным языкам — это постоянное стремление найти пути быстрого и эффективного овладения неродным языком. Интенсивные курсы обучения всегда привлекали и привлекают учащихся. Количество таких курсов с каждым годом резко увеличивается. Многие из них берут начало в теории Г. Лозанова, болгарского психолога и педагога. Его теория обучения известна под названием *суггестопедия.*

Суггестопедия — слово греческого происхождения и означает «предлагать что-либо кому-либо, представлять что-то в распоряжение кого-либо». По Лозанову [18], учебный материал — слова, выражения, диалоги надо предлагать ученику в такой форме и в таких условиях, чтобы он, затратив минимальные физические и моральные усилия, усвоил максимальное количество информации. Для этого надо активизировать резервные возможности человека, помочь его памяти работать на всю мощь. Г. Лозанов предлагает «выпустить на волю» наши возможности, раскрепостить наши способности, *включить механизмы памяти с помощью особым образом организованных занятий.* Эти занятия называются *сеансами* (сеансами в русском языке называется показ фильмов, например *утренний* и *вечерний сеанс,* а также лечение с помощью гипноза или выступление гипнотизера). За 100 часов занятий по этому методу ученики усваивают и могут употреблять до 2000 слов и выражений, могут говорить, читать и даже петь песни на иностранном языке.

В суггестопедии текст читает преподаватель в сопровождении классической музыки. Цель — лучшее запоминание текста учащимися. Применяется два типа музыкальных сеансов для запоминания материала: активный музыкальный сеанс и псевдопассивный.

Активный сеанс — чтение текста в музыкальном ритме. Читая, преподаватель следит за каждой музыкальной фразой. Мажорный лад — фраза произносится радостно, минорный лад — интимно-лирическое чтение, быстрый темп — фраза читается быстро, медленный — замедленное чтение, тихо звучит музыка — тихо звучит голос и т. п. Фраза полилога должна заканчиваться одновременно с музыкальной фразой.

Во время *псевдопассивного* (концертного) *сеанса* преподаватель выдерживает паузу и начинает чтение текста. Причем музыка звучит немного громче, чем голос преподавателя, а учащимся дана установка «Слушать музыку!».

Для музыкальных сеансов в методике рекомендуются следующие произведения: *В. А. Моцарт.* Пятый концерт для скрипки с оркестром ля мажор; *И. С. Бах.* Фантазия для органа соль мажор; *Ф. Й. Гайдн.* Первый концерт для скрипки с оркестром до мажор; *Г.Ф. Гендель.* Концерт для органа с оркестром си бемоль мажор; *Л. Бетховен.* Концерт для скрипки с оркестром ре мажор; *П. И. Чайковский.* Первый концерт для фортепьяно с оркестром си бемоль мажор; *А. Вивальди.* «Времена года» и др.

Дальнейшая работа преподавателя — это обучение учащихся общению на иностранном языке. Задача очень непростая. Надо вести урок таким образом, чтобы каждый говорил так, как говорят русские в театре, дома, на улице. Значит, нужны ролевые игры, точное описание того, что, где и как надо говорить, с какими интонациями и жестами. Если вы знакомы с работой актеров, с тем, как они говорят роли, разыгрывают сцены, тогда вам станет понятно, почему слова «этюд», «сценарий», «драматизация» и «спектакль» употребляются при описании уроков по Лозанову.

Под влиянием данного метода сложились новые школы и направления в преподавании иностранных языков, и в частности русского языка как иностранного: активизация резервных возможностей личности (Г.А. Китайгородская), обучение русскому речевому поведению (А.А. Акишина).

КОММУНИКАТИВНОЕ ОБУЧЕНИЕ ИНОСТРАННОМУ ЯЗЫКУ. МОДЕЛЬ УРОКА

Коммуникативное обучение — это не только приемы работы, ее организация, но целостная система и даже философия обучения, согласно которой язык понимается как средство общения, которое зависит и от говорящего, и от слушающего.

Главная задача этого методического направления — научить учащихся участвовать в речевой деятельности, т. е. научить их решать поставленные цели речевыми средствами.

1. Речевая коммуникация — это особый вид речевой деятельности, при которой цели и задачи лежат вне самой речевой коммуникации.

▐▶ **Вывод**

Знания иностранного языка как системы слов и грамматических форм недостаточно. Это не цель обучения, а промежуточное звено, ведущее к речевой коммуникации.

2. Речевая коммуникация — это умение совершать множество речевых актов в различных видах речевой деятельности (говорение, слушание, чтение, письмо).

▐▶ **Вывод**

Ядро коммуникативного обучения — упражнения и задания, с помощью которых учащиеся учатся соотносить цель деятельности с речевым высказыванием (если я хочу взять книгу, я должен (должна) использовать такое высказывание: *«Дайте, пожалуйста, книгу»*). **На всех уровнях осуществляется функциональный подход к отбору и предъявлению материала.**

3. Речевая коммуникация возникает, если в этом есть необходимость и у говорящего, и у слушающего.

▐▶ **Вывод**

Если студенты говорят, читают, слушают одно и то же, а затем это пересказывают, коммуникации нет (например, *перескажите друг другу текст, который вы прочитали!* — некоммуникативное задание).

4. Цель речевой коммуникации очень часто лежит вне языка. (Я говорю, потому что хочу, чтобы партнер произвел некоторое действие).

IIIII➡ **Вывод**

Владение языком — это способность учащихся решать коммуникативные задачи. А нормированность речи, умения употребить нужную форму — это промежуточная задача обучения.

ПРИНЦИПЫ КОММУНИКАТИВНОГО ОБУЧЕНИЯ

1. Единицей обучения является не слово, не фраза, а *речевой акт* (например, просьба, несогласие, вопрос и т. д.).

Учащиеся разыгрывают ситуации, в которых вырабатывается их речевое поведение в различных социальных ситуациях. Поведение определяется социальным контекстом.

2. Овладение языком — это формирование *коммуникативной компетенции,* умения решать коммуникативные задачи речевыми средствами. Наличие *языковой и речевой компетенции* рассматривается как промежуточное звено. В учебном процессе используются аутентичные материалы, вводятся страноведческие понятия. Коммуникация ведется на изучаемом языке (применение родного языка ограничено).

3. Чтобы общаться, нужно использовать аудиторные ситуации — устанавливать межличностное общение. Отсюда принцип *личностно-деятельностного подхода:* учащиеся включаются в общую деятельность (решают задачи в группах, парах). Роль преподавателя состоит в том, чтобы, создавать условия коммуникации и облегчать ее, а не только в том, чтобы постоянно исправлять ошибки.

Что же такое «ситуация»? Под ситуацией (в широком смысле) обычно понимают обстановку, совокупность обстоятельств (явлений, предметов) действительности и собеседников: *кто кому говорит, о чем, почему, в какой обстановке, с какой целью?*

Не следует думать, что любая ситуация действительности содержит стимул к речи, т. е. является речевой. Многие ситуации действительности, какими бы естественными и реальными они ни были, не выступают как речевые. Так, например, когда человек спешит на работу и, подходя к остановке, видит приближающийся автобус, его реакцией на данную ситуацию будет, скорее всего, убыстрение шага, т. е. действие, а не речь. В других случаях обстоятельства действительности могут не вызвать речевой реакции либо потому, что информация о ситуации не представляет интереса для человека, либо потому, что отсутствуют условия для речевой реакции на принятую информацию (например, нет собеседника).

IIII➡ **Вывод**

Таким образом, речевой ситуацией можно назвать лишь такую ситуацию действительности, которая вызывает ту или иную речевую реакцию.

Было бы неверным, однако, ограничивать понятие естественной ситуации лишь обстоятельствами, реально существующими в жизни. Сюда с полным правом можно отнести ситуации, в которых речевая реакция вызывается воображаемыми обстоятельствами и предложениями (например, *что бы вы сделали, если бы...?*). Однако речевой стимул при этом всегда остается естественным. Сказанное выше относится к реальным условиям общения.

Что касается учебного процесса, то здесь следует различать два вида речевых ситуаций. Это прежде всего естественные ситуации, **постоянно возникающие в аудитории** (например, ситуации, связанные с обеспечением занятия наглядными пособиями, техническими средствами, отсутствием или опозданием отдельных учащихся, с отношениями между учащимися и т. п.). К сожалению, не всегда эти ситуации используются преподавателями. Нередко учащиеся и преподаватели в таких случаях переходят на родной язык. Такие ситуации, имеющие естественные стимулы к речи, являются благодатным материалом для развития иноязычной речи.

Кроме того, к сожалению, подобные ситуации не могут обеспечить планомерную работу по развитию навыков речи на основе различного лексико-грамматического материала. Поэтому возникает необходимость, помимо использования естественных ситуаций в учебных целях, пользоваться также специальными **учебными речевыми ситуациями.**

Учебная речевая ситуация состоит в первую очередь из условий ситуации и речевой реакции учащихся. В условиях ситуации можно выделить следующие компоненты.

Описание ситуации, включающее информацию как об **обстановке**, так и об **участниках разговора** (например: *Вы опоздали в театр. Билетер не пускает вас в зал. Попытайтесь убедить билетера пропустить вас, приведя серьезные причины своего опоздания. О б с т а н о в к а: театр; представление началось. У ч а с т н и к и   р а з г о в о р а: зритель и билетер*).

Речевой стимул как причина, побуждающая к речи (в нашем случае: *ваше желание не пропустить первое действие спектакля*).

Речевой стимул в сущности означает отношение говорящих к обстановке, их конкретную позицию, определяющую направление, а зачастую и оформление речи. Он не всегда находит свое словесное выражение в тексте ситуации (встречаются ситуации со скрытым речевым стимулом), однако наличие его в условиях ситуации обязательно.

МОДЕЛЬ УРОКА

В основном урок ведется на русском языке, но возможны отдельные случаи перевода и объяснений на родном языке. На каждом новом, высшем этапе употребление родного языка сокращается.

1. **Начало урока** — личностное общение.

Вопросы каждому студенту (и поощрение студентов задавать вопросы друг другу): *Как дела? Какие новости? Ваши родители еще здесь или уже уехали?* и т. д.

2. **Аудирование** — рассказ преподавателя о своих собственных делах, новостях или его пересказ заранее подготовленного текста.

3. **Основная часть урока:**

а) Введение нового материала начинается с текста (диалог, полилог, монолог), т. е. материал дается в контексте, и преподаватель стремится к тому, чтобы учащиеся поняли текст и ввели его в более широкий контекст. Он может задавать вопросы: *Сколько человек разговаривает? Кто говорит? Что было до этого? Что еще могли бы они сказать? Какое у студентов отношение к услышанному?*

б) После этого преподаватель обращает внимание на новые формы — лексические или грамматические единицы. Объяснение строится от значения к форме. Например, вводя винительный падеж, преподаватель обращает внимание на то, как говорят, когда указывают направление движения:

— *Куда они идут?*

— *Они идут в университет.*

Часто студенты сами формулируют правила, т. е. преподаватель развивает лингвистическую догадку.

в) Используются для тренировки все виды упражнений, но главная цель — введение реальных ситуаций, решение проблем, т. е. выход в коммуникацию. Например, после введения нового диалога студенты прослушивают его в магнитофонной записи, повторяют хором и индивидуально, добиваясь легкости произношения; после введения новой грамматики преподаватель несколько меняет ситуацию, сохраняя структуру диалога, — над этим работают в парах или в маленьких группах. Преподаватель слушает, помогает и исправляет ошибки. В конце работы студентам предлагаются ситуации, требующие творческого решения: разговоры о себе, решение конфликтных ситуаций и т. д. Это обязательная завершающая часть работы над каждым текстом.

4. **Обучение чтению и письму.** Постановка цели чтения (например: *для доклада вам нужна информация о... Найдите ее в тексте; Прочитайте два текста, чтобы понять, чем их информация отличается друг от друга*).

Используются разные типы чтения.

Дается аутентичный материал для чтения.

Письменная речь связана с теми речевыми ситуациями и ситуациями общения, которые разыгрываются на уроках, т. е. коммуникативно оправдана. Например, обсуждая тему «Дом», можно попросить студента написать объявление о том, что он хочет снять (или сдать) квартиру.

5. **Подведение итогов урока.** Преподаватель спрашивает: *Что нового вы узнали? Какие слова, выражения вам встретились? О чем мы говорили?*

УРОВНИ ВЛАДЕНИЯ ИНОСТРАННЫМ ЯЗЫКОМ

ДАВАЙТЕ ОБСУДИМ:

1. *Что значит хорошо владеть иностранным языком?*
2. *Чего можно ожидать от учащихся после годичного изучения языка (100—150 аудиторных часов)?*
3. *Чего можно ожидать после курса в 250—300 часов?*

УРОВНИ ВЛАДЕНИЯ ЯЗЫКОМ

Преподавателю важно знать, чего можно ожидать от студента в разные периоды его обучения, т. е. его уровень владения языком. Согласно одной из концепций, выделяются четыре основных уровня (см. шкалу овладения языком[1]).

Начальный уровень — это уровень начальной ориентации в языке, приобретение отдельных знаний и навыков.

---

[1] Шкала ACTFL (American Council of Teachers of Foreign Languages) распространена в учебных заведениях США.

1. *Говорящий* справляется со стандартными фразами простого разговора, использует только выученный материал. Его речь состоит из отдельных слов или клишированных фраз и понятна носителям языка, привыкшим к общению с иностранцами.

2. *На слух* учащийся понимает короткие выученные фразы, требует частого повторения и медленного темпа.

3. Учащийся *читает* знакомые слова и фразы, иногда «схватывает» общее содержание текста, если есть визуальная поддержка и фоновые знания.

4. Может *написать выученные слова и фразы, заполнить анкеты и бланки.*

Средний уровень — это уровень «выживания», т. е. появляются возможности ограниченного общения и понимания речи в стандартных ситуациях.

1. Учащийся может прожить в стране изучаемого языка в качестве туриста, принимая участие в простых разговорах. Его речь ограничена личными и автобиографическими темами, состоит из отдельных предложений, чаще в настоящем времени. Он может делать покупки в магазине, заказывать еду, узнавать дорогу и т. п. Учащийся уже творчески использует выученный материал, но его речь понятна носителю языка, который привык говорить с иностранцами.

2. Учащийся *на слух* легче воспринимает речь «лицом к лицу» или короткие телефонные разговоры, простые объявления по радио и телевидению. Понимание ограничено темами личного общения.

3. Учащийся понимает при *чтении* простые тексты с прозрачной структурой, может «спрогнозировать» содержание короткого текста, хотя нередко ошибочно понимает текст.

4. Учащийся может *написать* краткое письмо, состоящее из коротких фраз, часто слабо между собой связанных.

Продвинутый уровень — это уровень владения языком, который позволяет выполнять ограниченные профессиональные обязанности.

Учащийся минимально удовлетворяет языковые потребности, связанные с работой или учебой. *Говорит* о событиях, используя видовременную систему, справляется с ситуациями, в которых возникают небольшие осложнения. Его речь логически связана, ошибки возникают в сложных ситуациях, что не мешает носителю языка понимать его.

Профессиональный уровень — это такой уровень, при котором владение иностранным языком приближается к уровню владения языком образованного носителя языка.

Говорящий полностью удовлетворяет языковые потребности, связанные с учебой или работой. Умеет высказывать мнения, делать предположения, участвовать в неофициальных и официальных беседах, обсуждать абстрактные, политические, академические, социальные и профессиональные вопросы.

ЗАДАНИЯ С УЧЕТОМ УРОВНЯ ВЛАДЕНИЯ ЯЗЫКОМ

Уровни владения языком учитываются при отборе материала для заданий, организации и форм проведения занятий (см. табл. 2).

Таблица 2

1. Начальный уровень	
Говорение	1. Многократное повторение слов, фраз, речевых формул в сменяющихся ситуациях. 2. Разыгрывание ситуаций, требующих употребления заученных слов, фраз, выражений. 3. Игровые задания, помогающие запоминать слова, грамматические формулы и выражения.
Слушание (аудирование)	1. Различение минимальных пар. 2. Прослушивание фраз, коротких текстов с заданием узнать знакомые слова. 3. Прослушивание текста и проверка понимания.

Продолжение

Чтение	1. Узнавание отдельных слов, имен, названий в тексте. 2. Чтение списков (например, меню, списка фамилий и т. д.). 3. Нахождение информации в коротких текстах (например, рекламах). 4. Сравнение двух коротких текстов (например, объявлений).
Письмо	1. Диктанты, включающие заученные слова и фразы. 2. Заполнение анкет, бланков. 3. Короткие письма.
2. Средний уровень	
Говорение	1. Разыгрывание несложных ситуаций, требующих некоторого творческого подхода. 2. Игровые задания, развивающие коммуникативные способности. 3. Задания, требующие выхода в несложную монологическую речь.
Слушание (аудирование)	1. Прослушивание текста с заполнением пропусков в письменном тексте. 2. Сравнение письменного текста с прослушанным. 3. Ответы на вопросы и краткое изложение содержания прослушанного текста. 4. Просмотры фрагментов фильмов, реклам.
Чтение	1. Извлечение главной информации из коротких заметок. 2. Сравнение коротких текстов. 3. Чтение текстов с целью проследить последовательность событий, выделить отдельные факты, описания, реплики.
Письмо	1. Написание коротких писем, изложение коротких рассказов. 2. Дневниковые записи, планы.

Окончание

3. Продвинутый уровень	
Говорение	1. Беседы о работе, учебе и на другие темы. 2. Решение проблем в диалогах и полилогах.
Слушание (аудирование)	1. Прослушивание радиопередач, просмотры фильмов и телевизионных передач.
Чтение	1. Аналитическое чтение текстов. 2. Обсуждение точки зрения автора. 3. Чтение художественной литературы.
Письмо	1. Сочинение на заданную тему. 2. Написание писем.
4. Профессиональный уровень	
Говорение	1. Дискуссии на различные темы. 2. Выступления с докладами.
Слушание (аудирование)	1. Прослушивание лекций и докладов. 2. Прослушивание радио- и телепередач.
Чтение	1. Все виды и жанры текстов. 2. Все виды чтения.
Письмо	1. Статьи. 2. Рефераты. 3. Конспекты прослушанного и прочитанного.

Раздел 2
ТЕКСТ КАК ЕДИНИЦА ОБУЧЕНИЯ

♦ ОБЩАЯ ХАРАКТЕРИСТИКА ТЕКСТА. ВИДЫ, ТИПЫ, ЖАНРЫ
♦ РАБОТА С ТЕКСТОМ
♦ ОТБОР ТЕКСТОВ В УЧЕБНЫХ ЦЕЛЯХ
♦ ЯЗЫК И КУЛЬТУРА. РАБОТА С ХУДОЖЕСТВЕННЫМ ТЕКСТОМ

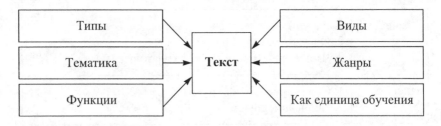

ОБЩАЯ ХАРАКТЕРИСТИКА ТЕКСТА. ВИДЫ, ТИПЫ, ЖАНРЫ

ДАВАЙТЕ ОБСУДИМ:

1. *Как вы думаете, какую роль играет текст при изучении иностранного языка?*
2. *Какие тексты лучше всего предлагать студентам и когда?*
3. *Когда читать художественную литературу? С какой целью? Считаете ли вы возможным адаптировать классические художественные произведения, пересказывать их?*
4. *Когда и с какой целью вы считаете нужным предлагать студентам аутентичные тексты?*
5. *Нужны ли учебные тексты?*
6. *Как работать с текстами?*

ЧТО ТАКОЕ ТЕКСТ

Текст — это продукт (реализация, конечный результат) речевой деятельности. Текст — это словесное произведение, реализующее поставленную цель. Границы текста очень широки. Это может быть одна фраза, в которой реализована цель, например:

1) *Прощай!* (Уходит, хлопнув дверью. — Ссора.)
2) *Выход.* (Надпись на дверях.)

3) *Магазин закрыт на ремонт.* (Надпись на двери магазина.)

4) *Приветствуем участников семинара!* (Лозунг в институте.)

5) *У семи нянек дитя без глаза.* (Пословица.)

Это может быть диалоговое единство (реплика одного партнера и ответная реплика второго), например, встреча на работе:

— *Как дела, Оленька?*

— *Спасибо, Петр Матвеевич, хорошо.*

(Обмен репликами для поддержания контакта, после которого говорящие расходятся.)

Это может быть статья, репортаж, лекция и многотомный роман. В этом случае текст состоит из множества микротекстов.

Микротекст — это минимальный текст, **продукт реализации речевого действия** (акта). Из многих таких речевых действий (актов) и состоит речевая деятельность, поэтому в учебных целях говорят о минимальной единице обучения — речевом акте.

‖➡ **Вывод**

Текст является образцом того, как функционирует язык. Вот почему при коммуникативном подходе он является исходной и конечной единицей обучения.

ТЕКСТЫ УСТНОЙ И ПИСЬМЕННОЙ РЕЧИ

Устные тексты — это диалоги, полилоги и монологи, обращенные к слушателю. **Наличие слушателя — обязательное условие** устного текста. Причем **устный текст**, как уже говорилось, — **это не только фразы, но и вся ситуация в целом: *что* говорится? кто говорит? кому? зачем? когда? где? с какой целью?,** — это поведение человека (как говорящего, так и слушающего: их речь, жесты, мимика, интонация, дистанция и т. д.). Сравните одни и те же фразы, но реализованные в текстах по-разному.

Обмен приветствиями

1. Утро. Хмурый начальник сердито приветствует сотрудников. Они отвечают, удивленные его недоброжелательностью, переглядываются: «Интересно, что с ним?»

— *Здравствуйте.*

— *Здравствуйте, Олег Николаевич.*

2. Школьные друзья с радостью встретились после 20-летней разлуки.

— *О! Здравствуйте, Оленька! Петя! Здравствуй!*

— *Ха! Виктор! Мила! Здравствуйте!*

3. Робкий мужчина влюблен в соседку. Он каждый день, встречая ее, здоровается. Она холодно ему кивает как малознакомому человеку.

— *Здравствуйте, Людочка!*
— *Здравствуйте, Михаил.*

Как видно из примеров, устные тексты требуют ситуативного комментария, а в учебном процессе — ролевой игры.

▶ Вывод

Обучая студентов диалогу и полилогу, надо знакомить их со всей ситуацией, которая тоже является элементом текста, и тренировать их речь, задавая ситуацию.

Монологические устные тексты — хроника, рассказ, доклад, лекция, выступление, репортаж — это особые жанры, имеющие свою семантическую структуру, свое логическое строение. Этим они сближаются с текстами письменной речи (см. табл. 1 и 2). Монологические тексты существуют в стандартных формах, которые определяются целью, типом, видом и жанром текста, а также наличием слушателя.

▶ Вывод

Обучая студентов монологической речи, необходимо знакомить их с тем жанром, который они должны освоить, показав особенности этого жанра, вида и типа текста. Развивая навыки монологической устной речи, полезно задавать ситуацию — *кому* и *зачем* студент это рассказывает.

Например, «*Рассказ о себе*» может осуществляться в разных по стилю и жанрам монологических текстах.

1. Рассказ о себе при знакомстве в бытовой ситуации строится по такой логической схеме:

1) *Меня зовут...* (имя).
2) *Я студентка (инженер)...* (профессия, работа, учеба).
3) *Моя семья...* (семья, друзья).

2. Рассказ о себе в разных типах интервью:

1) *Я родилась...* (где? когда?).
2) *Мои родители...* (семья).
3) *Мое детство...* (детские годы).
4) *Потом...* (хронологические даты) и т. д.

Тексты письменной речи также существуют в стандартных типах, видах и жанрах и, начиная чтение или письмо, носитель языка прогнозирует построение текста, что облегчает чтение или письмо.

Например, рассказ о себе возможен в жанре «автобиография». Это достаточно жесткий текст, имеющий почти анкетный характер:

1) Кто, где, когда родился? В какой семье? — *Я, Иванов Иван Иванович, родился... в семье...*

2) Когда и где учился? Когда закончил учебу?

3) Когда, где, кем, как долго работал?

4) Семейное положение.

А рассказ о писателе — «Биография писателя» — имеет более свободный текст, хотя последовательность текста тоже достаточно стандартизирована:

1) Когда и где родился писатель?

2) В какой семье?

3) Как прошло его детство?

4) Где и когда он учился? (Иногда: Как он учился?)

5) Когда начал писать? (Писательская биография и характеристика творчества.)

6) Его семейная жизнь, работа, окружение.

7) Когда и где умер?

8) Значение его творчества.

⮞ Вывод

Обучая студентов чтению, необходимо знакомить их с жанром текста, показывая, где расположена та или иная информация, что облегчает чтение. Обучая письму (особенно корреспонденции), надо показать, как пишутся клишированные части текста.

Таблица 1

Цели, типы, виды, жанры текстов письменной и устной речи

Цель	Тип	Вид	Жанр
1. Сообщить факты	Информационный	Сообщение Хроника	Газетная хроника Дневник Расписание Отчет Анкета Телеграмма Программа Извещение Меню План Объявление и т. д.

Окончание

Цель	Тип	Вид	Жанр
2. Описать событие, явление	Описательный	Повествование	Письмо Репортаж Путеводитель Объяснительная записка Рассказ и т. д.
3. Побудить (запретить) что-либо сделать (не делать)	Побудительный	Текст-просьба, требование, обещание, совет и т. п.	Реклама Приказ Заявление Доверенность Инструкция Выступление на митинге, собрании и т. п.
4. Объяснить, доказать, проанализировать что-либо	Анализирующий	Доказательство Анализ Толкование	Статья Выступление на конференции Монография Тезисы Реферат Доклад Лекция
5. Установить, разорвать контакт с кем-либо	Контактно-устанавливающий	Приветствие, поздравление, благодарность и т. д.	Письмо Телеграмма Тост Выступление на юбилее и т. п.
6. Воздействовать на чувства, эмоции, кого-либо	Художественный (эстетический)	Прозаический, стихотворный	Стихи Рассказы Повести Романы Сказки Былины Песни и т. п.

Тексты классифицируются в зависимости от темы и ситуации, где эти жанры распространены.

Таблица 2

Типы и жанры текста в разных стилях речи

Стиль	Тема	Место	Жанр
Публицисти-ческий	Политика, экономика, социология и т. д., и т. п.	Газеты, журналы, радио, телевидение, и т. п.	Статья Хроника Заметка Очерк и т. д.
Эпистолярный	О себе	Личная переписка	Письмо Телеграмма Факс Электронная почта
Официально-деловой	Работа	Учреждения	Письма Документы
Научный	Исследование	Конференции Научные учреждения	Статья Монография Доклад Тезисы
Художествен-ный	Различные темы	Книги, журналы	Рассказ Роман Повесть и т. д.

‖➡ **Вывод**

Носитель языка легко ориентируется в типе и жанре текста. Работая с текстом, следует обращать внимание студента на жанр, тему, вид текста, учить его логической и жанровой структуре текста, так как в каждом языке существуют свои правила построения каждого жанра.

РАБОТА С ТЕКСТОМ

ФУНКЦИИ ТЕКСТА В УЧЕБНОМ ПРОЦЕССЕ

Текст в учебном процессе может выполнять различные функции (см. табл. 3).

Таблица 3

Функции текста в учебном процессе

Текст				
Источник информации	**Материал для обучения чтению и письму**	**Материал для обучения говорению и слушанию**	**Образец речевых моделей (устных и письменных)**	**Материал для анализа и ввода лексико-грамматического материала**
Письменный или устный текст Обработка полученной информации	***Письменный текст*** Тренируется умение быстро читать «видеть» текст, находить нужную информацию, по образцу — писать. Тренируется догадка, прогноз	***Устный текст*** Тренируется умение воспринимать текст на слух, воспроизводить текст, не глядя в письменный источник. Тренировка артикуляции, интонации	***Речевые модели. Анализ*** Объяснение их строения и употребления. Тренировка их употребления	***Языковые модели. Анализ*** Объяснение их строения. Обобщение структур. Тренировка форм

Окончание

Формы работы с текстом				
Вопросо-ответные пересказы. Расширение и сжатие текста. Сравнение содержания двух текстов. Участие в дискуссии, доклады и т. п.	Упражнения на догадку, прогноз. Составление планов. Прогноз по заголовкам. Озаглавливание текста и т. д.	Упражнения на аудирование, говорение. Разыгрывание диалогов, полилогов, монологов	Упражнения на имитацию, на отработку модели (дрилл), составление мини-текстов	Упражнения на понимание форм, на умение их образовывать и употреблять. Подстановочные упражнения

КАК РАБОТАТЬ С ТЕКСТОМ

• **Ввод текста**

1. Если это устный текст — вводить его устно, приучать студента слышать его.

2. Письменный текст предъявляется через чтение.

Любой текст сначала должен быть воспринят студентом целиком — не следует спешить переводить каждое слово, комментировать текст или предварять восприятие его упражнениями грамматического характера и списками слов. Сначала надо приучать студента «схватывать» общий смысл, улавливать хотя бы несколько знакомых слов, по которым он может «сориентироваться», о чем идет речь. Это развивает способности прогнозирования и догадки, нужные при чтении.

▷ Вывод

Итак, сначала студент слушает (читает) весь текст, преподаватель выясняет, что студент понял. Затем студент слушает (читает) отрезки (абзацы) текста. Преподаватель вновь выясняет, что учащийся понял. Наконец, слушание (чтение) ведется пофразно и сопровождается комментарием, переводом, толкованием. Главная цель — понимание текста.

• **Обработка текста и автоматизация речевых образов** — это, во-первых, понимание, во-вторых, анализ форм, слов, а затем тренаж речевых образцов, слов и форм. **Главная цель — автоматизация речевых действий.**

• **Выход в речь** — создание студентами аналогичных текстов письменной или устной речи.

Типы заданий, виды работы с текстом

Обычно различают три типа заданий к тексту: **предтекстовые**, **притекстовые** и **послетекстовые**. Правда, наполнение этих понятий разное у разных школ и направлений (см. табл. 4).

Таблица 4

Типы заданий

Задания	Структурный подход	Коммуникативный подход
1. Пред-текстовые	Списки слов, объяснение форм, которые будут встречаться в тексте — снятие лексико-грамматических трудностей	1. Задания, стимулирующие интерес к тексту, постановка проблемы 2. Задания, формирующие цель чтения (слушания): *Прочитайте (прослушайте), чтобы найти ответ на вопрос* и т. д. 3. Лексико-грамматические трудности снимаются после первого просмотрового чтения (слушания)
2. Притекстовые	1. Анализ слов и форм в самом тексте 2. Вопросы к тексту для выяснения понимания	1. Чтение (слушание) фрагментов текста и анализ (или перевод) трудных мест 2. Вопросы к тексту для выяснения понимания 3. Развитие навыков чтения (слушания). Например: *Что говорится о...; Найдите слова, где говорится...*

Окончание

3. После-текстовые	1. Вопросы для выяснения понимания всего текста 2. Пересказ 3. Пересказ с трансформацией (от другого лица и т. д.)	1. Вопросы для выяснения понимания всего текста 2. Развитие навыков чтения: *Найдите ответы на вопросы...* 3. Анализ текста с точки зрения его логического и жанрового построения 4. Создание ситуаций, в которых можно было бы сообщить данные из текста 5. Создание самостоятельного текста с использованием модели текста

⫸ **Вывод**

Если цель работы с учебным текстом — объяснить грамматическое явление, лучше всего комбинировать задания: брать упражнения и из структурного, и из коммуникативного подходов. Но, работая над навыками чтения, слушания, говорения, письма, следует выбирать коммуникативные задания.

Виды упражнений

Преподаватель должен уметь заинтересовать темой, удерживать внимание аудитории на протяжении всего периода работы, сделать объяснение доступным, закрепить новый материал и научить применять его на практике. Этому могут помочь следующие упражнения (работать можно с любым текстом: научным, художественным, публицистическим).

1. *Озаглавьте текст так, чтобы это заинтересовало читателя.*

2. *Сделайте рекламу этому тексту так, чтобы слушатели захотели прочитать (купить) книгу (журнал, номер, газеты).*

3. *Порекомендуйте этот текст для чтения пессимисту — оптимисту, ребенку — взрослому, женщине — мужчине, людям разных профессий.*

4. *Перескажите прослушанный (прочитанный) текст как можно точнее. Развивайте в себе навыки точного запоминания слов собеседника (автора).*

5. *Перескажите текст, включая в него серию риторических вопросов и ответов на них.* Такие пересказы развивают умение логично излагать мысль.

6. *Перескажите текст эмоционально: взволнованно, сухо, коротко, логично и т. д.* (количество эмоций можно увеличить). Эмоции помогают запоминанию.

7. Ролевые игры. *Перескажите текст ребенку (с учетом его восприятия), профессионалу в этой области* и т. д. Развивает коммуникативную компетенцию.

8. *Проанализируйте текст. Выделите главные и второстепенные мысли.* Развивает лингвистическую компетенцию.

9. Работа с картинкой. *Посмотрите картинки, определите, о чем это произведение? Какие картинки о семье, о любви, о ревности, о разводе, о смерти?*

Какой вариант иллюстраций вам больше нравится и почему?

НЕДОЧЕТЫ РАБОТЫ С ТЕКСТОМ

1. Преподаватель пользуется только текстами учебника, не включая «живой поток текстов» (информацию газет, радио, телевидения). Язык перестает восприниматься как средство передачи мысли и информации, превращается в набор правил и схем.

2. Преподаватель дает тексты, не соответствующие уровню владения русским языком, в результате студенты должны переводить каждое слово, чтобы понять текст, и вырабатывается неприязнь к чтению, а иногда и к изучаемому языку.

3. Тексты, предлагаемые на русском языке, иногда:

а) **непознавательны,** так как подбираются для раскрытия грамматического явления, а не содержания;

б) **узко страноведчески** направлены (например, описывают какой-то незнакомый студентам русский город);

в) **неинтересны,**

г) информационно **устарели** (часто случается с газетными текстами).

4. Преподаватель не всегда обращает внимание на типовую семантическую структуру текста, помогающую студенту самому строить подобные тексты. Например, давая образец текста благодарности, преподаватель может обратить внимание на особенности его строения (см. табл. 5).

Строение текста благодарности

Семантические части	Речевое выражение
1. Обращение	1. *Дорогой(ая) Х. Уважаемый(ая) господин (госпожа) Х.*
2. Сообщение о факте (возможно, с благодарностью)	2. *Я получил(а)... Благодаря вам (тебе) я...*
3. Благодарность	3. *Спасибо. Я благодарна вам (тебе) за...*
4. Как это помогло?	4. *Вы (ты) мне очень помогли (помог, помогла)*
5. (Возможны) комплименты	5. *Вы (ты) очень любезны(ен, на)*
6. Обещания не забыть (быть полезным(ой)	6. *Если вам (тебе) нужна моя помощь...*
7. Повторная благодарность	7. *Еще раз благодарю...*
8. Прощание	8. *Всего хорошего. До свидания*

РЕКОМЕНДАЦИИ К ОТБОРУ ТЕКСТОВ

1. Необходимо разнообразить работу с текстом, учитывая виды и жанры текстов.

Так, вводить диалоги можно не только через чтение, но и через аудирование, отрабатывать в говорении. Газетный текст поможет развить навыки чтения, прогнозирования (по заголовку определять, о чем будет текст), поиска информации (*Найдите, где говорится о...*). Занимаясь письмом (корреспонденция), преподаватель сможет показать его строение и работать над развитием навыка письма. Художественное произведение даст возможность научить студентов видеть и воспринимать мастерство писателя.

2. Помимо текстов учебника, хорошо набирать свою «текстотеку» для аудирования, для мотивированного говорения и т. п. — это могут быть небольшие «сенсационные» тексты (например, *о верности собаки, 5 лет приходившей встречать хозяина на вокзал*

(хозяин не вернулся, так как погиб) и умершей у двери вокзала; об уникальной операции по пересадке девочке сердца ее умершего друга и т. п.); тексты познавательного характера, расширяющие знания студентов о русской культуре, истории, географии (типа: *Знаете ли вы?*); минимальные оригинальные тексты — цитаты, афоризмы, пословицы, поговорки и т. п. (например, пословицы: *В гостях хорошо, а дома лучше; Жизнь прожить — не поле перейти*).

3. Необходимо заботиться о лексико-грамматической доступности текста. Это особенно относится к текстам художественной литературы, которые преподаватель вводит иногда преждевременно, и в таких случаях «чтение для удовольствия» превращается в «чтение-мучение».

4. Следует обращать внимание на познавательную ценность текста, стремиться к тому, чтобы обучение языку расширяло общую эрудицию и культуру студента.

5. Работая над жанром текста, хорошо знакомить студентов с его типовым семантическим строением. Ср., например, возможности показать жанр биографии писателя, автобиографии и т. п.

Практика преподавателя (аудиторные упражнения)

✓ *Задание 1. С какой целью, по вашему мнению, даются задания такого рода.*

1. Соберите разрезанный на куски текст в нужном порядке.
2. Восстановите слова в тексте (часть слов пропущена).
3. Восстановите пропущенные части текста.
4. Закончите текст, так как конец текста потерян.
5. Быстро (указывается время) просмотрите текст, чтобы определить, о чем идет речь.
6. Прочитайте фамилию автора, название книги, где и когда она выпущена и попробуйте определить, о чем может быть эта книга.
7. Прослушайте два текста на одну тему: что у них общего, чем они отличаются.
8. Выберите 2—3 текста для подготовки к лекции по истории.
9. Вы готовитесь к 5-минутному выступлению (тема называется), выберите из текста нужный материал.
10. Вы пишете письмо и хотите пересказать в нем те новости, которые услышали по радио.

✓ *Задание 2. Расположите картинки в нужной последовательности (предлагается серия разрезанных картинок, которые надо сложить, чтобы получился цельный рассказ)* (см. рисунок).

✓ *Задание 3. Определите, какова цель этого учебного текста. Как вы с ним будете работать?* (см. текст «Математик»).

я включил свет

я спокойно пошёл наверх

но вдруг я проснулся

лёг спать

снял халат

потом я приоткрыл дверь и посмотрел

за окном я увидел кота

я осторожно вышел из комнаты

я услышал странный шум

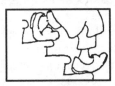

потом я надел халат

выключил свет и вскоре крепко заснул

я тихо спустился вниз по лестнице

подошёл к двери и начал слушать

я встал и надел тапочки

Математик

Я математик. Я часто решаю разные задачи: легкие и трудные. Я всегда решаю все задачи очень быстро. Когда мои друзья не могут решить задачу, они просят меня помочь: «Помоги решить задачу». Я, конечно, всегда помогаю, и я люблю это делать.

Но сегодня плохой день. Утром позвонил друг и попросил решить задачу. Он прочитал, и я записал. И вот целый день я решаю, решаю, но ничего не получается. Уже вечер. Скоро снова позвонит друг, а я до сих пор не решил... Сколько будет пятнадцать плюс восемнадцать и минус семь (15+18—7)? Очень стыдно, ведь я уже учусь в первом классе, а мой друг еще ходит в детский сад.

ОТБОР ТЕКСТОВ В УЧЕБНЫХ ЦЕЛЯХ

Урок (или серия уроков) должен начинаться с текста: диалога, полилога, монолога, устной или письменной речи, но всегда у студента должен быть образец текста — эталон, к которому он стремится.

⫸ Вывод

Надо отбирать тексты в зависимости от того, чему мы обучаем студентов. Если студентов обучают устному общению, то должны быть образцы диалогов, полилогов, монологов устной речи. Если письменному — образцы тех жанров письменной речи, которые должны освоить студенты.

НУЖНЫ ЛИ УЧЕБНЫЕ ТЕКСТЫ, ЦЕЛЬ КОТОРЫХ — ВВЕДЕНИЕ ЛЕКСИКИ, ГРАММАТИКИ, И ДОПОЛНИТЕЛЬНЫЕ ТЕКСТЫ, СОСТАВЛЕННЫЕ АВТОРАМИ УЧЕБНИКОВ?

Да, такие тексты в учебном процессе нам кажутся необходимыми, чтобы показать, как функционируют слово, фраза, и в то же время не «обрушивать» на студента весь поток слов и форм, как в оригинальном тексте. Чем элементарнее знание языка, тем проще должен быть текст и тем больше может быть учебных текстов — этого избежать нельзя. Хорошо если в учебных текстах содержится все то, что есть в реальных, — жанр, композиция, учет читательских интересов, юмор и т. п. Конечно, по мере овладения студентами иностранным языком вводятся и оригинальные, реальные, аутентичные тексты.

И все же без учебного текста не обойтись. В книге Миллера есть замечание, что если через обычные тексты провести все языковые явления, надо воспроизвести миллионы фраз, а это практически невозможно. Значит, текстовый материал нужно отбирать. Есть только одно условие быстрого продвижения в языке — это изучение языка с помощью отобранных моделей, клише. Нужны диалоги-модели, полилоги-модели, монологи-модели.

▕▐▶ **Вывод**

С помощью учебного текста отрабатываются нужные речевые модели. Студенты видят, как эти модели функционируют в общении. В то же время можно и нужно вводить в учебный процесс и реальные, аутентичные тексты для чтения.

При отборе дополнительных текстов следует учитывать, что любой из них не только вводит определенный грамматический, лексический и культурологический материал, но и является основой для развития речевых и коммуникативных навыков и умений. Поэтому учебный текст должен быть сюжетным, т. е. удобным для изложения в соответствии с ясно выраженной сюжетной линией.

Текст должен быть удобен для изложения его в другой форме (замена повествовательной формы диалогом, замена диалога повествованием в третьем лице или от лица одного из участников беседы).

Необходимо стремиться к тому, чтобы каждый дополнительный учебный текст, который подготовлен самим преподавателем, был проблемным. Проблемностью текста условно считается возможность организовать беседу по теме, затронутой в нем.

Дополнительный текст может включать:

1. От 4 до 10% новой лексики, допускающей различные способы семантизации, — часть слов предназначена лишь для пополнения пассивного словаря учащихся.

2. Не более двух грамматических явлений для активного употребления в речи и не более двух других, предназначенных для понимания текста.

3. Не более одной трудной для употребления группы или пары близких по значению слов (например, употребление глаголов *учить—учиться—изучать*).

ОБРАБОТКА ДОПОЛНИТЕЛЬНЫХ ТЕКСТОВ

Существуют различные способы обработки дополнительных текстов, которые преподаватель отбирает для своих студентов. Выбор способа определяется, как правило, характером текста. Для шуток и сказок, например, обычно используется **переложение,** для газетных текстов — **сокращение и развертывание,** а для художественных текстов — преимущественно **сокращение** и изредка в самом начале обучения может быть использовано **переложение** (пересказ).

Сокращение текста осуществляется путем исключения некоторых смысловых частей, абзацев, осложняющих оборотов и даже отдельных слов, но без замены их другими словами и конструкциями.

Переложение допускает изменение структуры предложений, замену сложных предложений простыми и, наоборот, изменение порядка следования предложений, замену отдельных слов и частей предложения. При этом учебный текст может быть дополнен синтаксическими конструкциями и лексикой, необходимыми для активного употребления и пассивного восприятия.

Прием развертывания, как правило, применяется при обработке кратких газетных сообщений, состоящих из одного или нескольких осложненных предложений, каждое из которых развертывается в несколько простых предложений.

Развертывание, как и переложение, можно применять и при адаптации текстов для групп, занимающихся чтением специальной литературы.

Практика преподавателя (обработка текста)

✓ *Задание 1. Как бы вы сократили данный текст для начального этапа обучения?*

Париж, 2 (соб. кор. «Правды»). Во французской столице открылся театральный сезон. Среди премьер — спектакли современных драматургов и русских классиков.

Большой успех выпал на долю пьесы А. Арбузова «Последняя летняя ночь», поставленной столичным театром «Эдуард VII». За последние годы это уже третье, после «Старомодной комедии» и «Сказок старого Арбата», произведение известного драматурга, поставленное на парижской сцене. Большой популярностью пользуется в театре «Жерар Филипп» спектакль по пьесе М. Горького «На дне». Не сходят с парижской сцены полюбившиеся французам чеховские «Три сестры», «Дядя Ваня».

Вслед за уже идущими в столице инсценировками по произведениям Ф. М. Достоевского готовится премьера пьесы А. Н. Островского «На всякого мудреца довольно простоты». Ее ставит известный режиссер Жан-Клод Фоль.

✓ *Задание 2. Как бы вы развернули, усложнили текст для студентов продвинутого уровня?*

Москва, 18 (соб. кор. «Известий»). Вчера в Лужниках открылась Международная ярмарка книги. В ней принимают участие 250 книгоиздательств из 75 стран мира. Вход свободный.

ЯЗЫК И КУЛЬТУРА.
РАБОТА С ХУДОЖЕСТВЕННЫМ ТЕКСТОМ

ДАВАЙТЕ ОБСУДИМ:

1. *Что такое культура?*
   а) антропологическое понятие;
   б) историческое понятие;
   в) «высокая» культура.
2. *Каково «культурное» содержание курса по языку?*
   а) факты;
   б) языковое поведение;
   в) внеязыковое поведение.
3. *Какие цели преследует (должно, может преследовать) преподавание культуры в курсе по языку?*
   а) декларативные;
   б) процессуальные.
4. *Каково место культуры в программе русского языка?*
   а) открытое;
   б) скрытое.
5. *На каком языке преподавать культуру?*
   а) на родном языке;
   б) на русском языке.
6. *Какие материалы использовать для обучения культуре?*
   а) литература, кино, изобразительное искусство;
   б) газеты, журналы, реалии;
   в) специально написанные тексты.
7. *Когда и как начинать знакомить студента с культурой?*
   а) на начальном уровне;
   б) на среднем уровне;
   в) на продвинутом уровне.
8. *Что такое социокультурная компетенция?*
   а) знание истории и художественной литературы;
   б) знание обычаев, традиций;
   в) понимание лингвострановедческой окрашенности слова.

СВЕДЕНИЯ О КУЛЬТУРЕ ПОВЕДЕНИЯ НОСИТЕЛЕЙ ЯЗЫКА В ПОВСЕДНЕВНОЙ ЖИЗНИ

Знания нормы поведения носителей языка необходимы, когда студенты едут в страну изучаемого языка, особенно если они будут жить в семьях. В этом случае со студентами проводятся беседы, даются инструкции. Например, американцам говорят: не свистите в доме, русские не разрешают этого; снимайте шапку при входе в дом (для мужчин); не сидите в присутствии посторонних, положив ноги на стол; входя в свой и даже в чужой дом, русские часто переобуваются, надевая домашнюю обувь, поэтому лучше всего спросить хозяев: «Надо ли снимать обувь?»; не забирайтесь в обуви на диван, кровать, кресло и т. д., и т. п.

А насколько необходимо получать такие сведения студентам, если они изучают русский язык в своей стране?

Заполним анкету национальной специфики поведения (с. 53) и обсудим ее.

Какие вопросы к данной анкете вы бы добавили?

Какие из этих вопросов вы считаете нужными обсуждать с учащимися? В какой форме провести это обсуждение?

Что должен знать студент, изучающий иностранный язык, помимо слов, фонетических и грамматических правил? Ему нужно, конечно, научиться общаться на данном языке, и тут сразу же появляется необходимость в знании невербальных, лингвострановедческих сведений:

а) этикетных норм (где что можно, а что нельзя сказать);

б) пространственно-жестовых норм общения (дистанция, прикасания, жесты, мимика);

в) обычаев, традиций данного народа, отражающихся на общении;

г) новых реалий;

д) стереотипов речевого общения;

е) фоновых знаний и т. д.

Таким образом, формируя речевую компетенцию, надо одновременно формировать социокультурную компетенцию, закладывая не всегда совпадающую с родной новую картину мира (см. библиографию).

Вопрос	В России	У вас на родине
1. Можно ли при знакомстве спрашивать о возрасте?		
2. Можно ли спрашивать о размере зарплаты?		
3. Можно ли, придя в гости, спрашивать о стоимости дома (квартиры)?		
4. Можно ли, получив подарок, сразу же его посмотреть?		
5. Можно ли прийти в гости без предварительной договоренности?		
6. Когда можно звонить: после какого часа, с какого часа?		
7. Принято ли писать открытку с благодарностью за подарок (приглашение)?		
8. Поздравительные открытки. Когда (с каким праздником) и как поздравлять (приняты ли печатные стандартные тексты или нужно писать от руки)?		
9. Уход гостей. Как уйти из гостей раньше, не обидев хозяев? Нужно ли предупреждать об этом?		
10. Комплимент. Какие комплименты, кому и когда делаются?		
11. Кому и когда можно и нужно давать советы, рекомендации, настойчиво предлагать помощь?		
12. Что приносят в подарок, приходя в гости (например, на день рождения)?		
13. Сколько раз в день можно говорить «Здравствуйте» одному и тому же человеку?		
14. Нужно ли перед приходом в гости (если уже было приглашение) позвонить и сообщить об этом. К кому приходят без предварительного звонка?		
15. Нужно ли пропускать женщин вперед, входя в помещение (в машину)?		
16. Если студент опоздал на занятие, должен ли он, входя в аудиторию, извиниться и поздороваться?		

На какие моменты хотелось бы обратить внимание.

1. На лингвострановедческую нагруженность слова (безэквивалентная лексика, афористика, фразеология, национально-культурная окрашенность слова).

2. На пространственно-жестовые нормы общения. С этой целью диалоги лучше разыгрывать не сидя за столом, а подходя к собеседнику, прикасаясь к нему, с одновременным комментарием.

3. На этикетные нормы общения с комментарием случаев расхождения с родным языком.

4. На стереотипы речевого поведения носителей изучаемого языка (например, *Не сглазьте! Плюньте три раза через левое плечо!* и т. п.)

Итак, формирование лингвострановедческой компетенции — одна из задач обучения общению.

ЛИТЕРАТУРА, ИСКУССТВО, ИСТОРИЯ И ПРЕПОДАВАНИЕ РУССКОГО ЯЗЫКА

➥ ДАВАЙТЕ ОБСУДИМ:

1. *Какие исторические сведения вы считаете целесообразно включить в курс русского языка? Как лучше это делать: с помощью картинок, текстов на русском или на родном языке, устных бесед, лекций?*

2. *Какие сведения о выдающихся русских людях, хорошо известных носителям языка, вы считаете нужным сообщать своим учащимся?*

3. *Будете ли вы включать в курс русского языка рассказы о бывших советских республиках, сообщения о советском периоде истории?*

4. *Нужны ли студентам фоновые знания, т. е. те общие знания, которыми располагают носители языка, усваивая их с детства через сказки, песни, стихи, игры и т. д.?*

Изучая иностранный язык, студенты одновременно знакомятся с историей народа, его экономикой, политикой, географией, с его культурой, литературой, искусством, религией. Без знания страноведения обучение языку неполно. Другое дело, насколько широко должны студенты быть осведомлены в подобных вопросах и как вводить такие знания. Имеющиеся учебники по-разному предлагают этот материал.

Разные точки зрения на преподавание культуры

1. Учебник включает репродукции картин и скульптур, чтобы учащиеся приобщались к высокой культуре. С той же целью перед началом урока звучат произведения композиторов страны изучаемого языка, даются радиоматериалы и видеофильмы.

2. Учебник содержит фотографии, отражающие ситуации повседневной жизни, портреты выдающихся людей и т. д.

3. Культура и страноведческие реалии предлагаются в виде текстов на родном языке.

4. Культура и страноведческие реалии описываются по-русски и являются содержанием текстов для чтения.

5. Страноведческие реалии являются содержанием монологических и диалогических текстов.

6. Фоновые знания — цитаты, пословицы, поговорки, отрывки из стихотворений — составляют содержание текстов для обучения устной речи.

7. Учебник вводит страноведческие сведения через аутентичные тексты: меню, театральные афиши и билеты, расписание, документы и т. д.

А как вы считаете лучше подавать такой материал в учебнике? Как вы даете страноведческие сведения студентам на уроке?

РАБОТА С ПРОИЗВЕДЕНИЯМИ ХУДОЖЕСТВЕННОЙ ЛИТЕРАТУРЫ

Художественные произведения — богатый источник страноведческой информации, они стимулируют мыслительную деятельность учащихся, воздействуя на эмоции и эстетический вкус. Вот почему каждый преподаватель стремится как можно быстрее предложить студентам произведения русских поэтов и писателей, часто не обращая внимание на то, насколько это смогут усвоить студенты. В результате чтение превращается в лексико-грамматический анализ, отчего «погибает» все художественное произведение, или студенты выходят из положения, взяв перевод и прочитав его. Конечно, это тоже неплохо — они знакомятся с русской литературой и культурой, но в этом случае надо ставить иные цели и не считать, что студенты развивают навыки чтения русских текстов.

При обучении чтению художественного произведения важен его выбор. Известно, что произведения авторов до А. П. Чехова студентам очень трудно читать из-за трудностей языка: много архаизмов, слов «высокого стиля». Использовать такие тексты следует очень продуманно на среднем, а тем более на начальном этапе. С другой стороны, современная русская литература часто настолько перенасыщена жаргоном, арго, просторечиями, что это тоже настораживает преподавателя. Что же делать?

Руководствоваться здравым смыслом и:

1) определять, насколько сложен текст для восприятия его учащимися;

2) не посягая на адаптацию текстов классиков, пересказывать части произведения, что применимо, как известно, в лекциях литературоведов: пересказ с цитатами из художественного произведения;

3) работая над художественным произведением, не заниматься грамматической формой (спряжением, склонением), не вульгаризировать его содержание, а показывать его художественные достоинства, учить «видеть» художественный образ, психологические моменты и т. д.;

4) обучая студентов анализу художественного текста, позаботиться о том, чтобы у студента была подготовлена речевая база, нужная для восприятия лексики и грамматических конструкций.

Практика преподавателя
(заметки о работе с текстами
из художественной литературы)

✓ **Задание.** *Прочтите записи молодого преподавателя, который описывает работу над текстом, и обсудите их.*

1

Сегодня была на уроке. Студенты читали «Капитанскую дочку» А. С. Пушкина в оригинале. Весь урок состоял из объяснения слов и их перевода. Что дает такое чтение, помогает ли это изучению иностранного языка? Может быть, это нужно для общей культуры студента?

2

Студентам третьего семестра преподаватель дал на дом задание — прочитать в оригинале искусствоведческий текст о живописи XVIII в. Без словаря его понять невозможно — много искусствоведческих терминов. После чтения студенты должны выступить как гиды — это будет их экзамен по устной речи. Целесообразно ли давать тексты такой трудности? Можно ли оценивать устную речь студента таким образом?

3

На уроке был текст «Я вас любил» А. С. Пушкина. Студенты должны были выполнять следующие задания:

1. *Разбить текст стихотворения на строфы* (текст написан в строчку).
2. *Поставить четверостишия в правильном порядке* (строфы перепутаны).
3. *Ответить на вопросы: «Как вы представляете себе жизнь поэта? Кого он любил?».*
4. а) *Составить список своих увлечений. Описать одно из них в стихах и прозе.*
   б) *Написать дневник поэта* (наверное, он вел дневник своих увлечений).
   в) *Написать письмо любимому человеку, начав с фразы: «Я вас любил(а)».*

Раздел 3
РЕЧЕВАЯ ДЕЯТЕЛЬНОСТЬ

♦ ВИДЫ РЕЧЕВОЙ ДЕЯТЕЛЬНОСТИ
♦ *УСТНЫЕ ВИДЫ РЕЧЕВОЙ ДЕЯТЕЛЬНОСТИ*
   ГОВОРЕНИЕ
   СЛУШАНИЕ
♦ *ПИСЬМЕННЫЕ ВИДЫ РЕЧЕВОЙ ДЕЯТЕЛЬНОСТИ*
   ЧТЕНИЕ
   ПИСЬМО

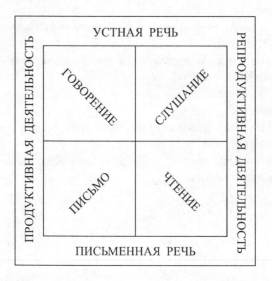

ВИДЫ РЕЧЕВОЙ ДЕЯТЕЛЬНОСТИ

Учение о видах речевой деятельности и о том, что каждый вид деятельности требует развития особых, нужных именно для данного вида умений, — важная тема методики обучения иностранному языку.

Два вида речевой деятельности связаны с **устной речью,** два — с **письменной.** Это значит, что они будут отличаться друг от друга набором слов, организацией текста и синтаксическими конструкциями. Кроме того, письменная речь воспринимается органами зрения, что требует умений зрительно воспринимать речь. Устная же речь воспринимается через слуховые каналы.

Два вида речи — ***продуктивные,*** когда учащийся сам конструирует свою речь и может выбирать слова и фразы, которые знает, два — ***репродуктивные.*** Учащийся в этом случае зависит от говорящего (пишущего), который будет пользоваться своим набором слов и фраз.

Известно, чтобы говорить на бытовые темы с носителями языка, можно обойтись 1000—1500 единицами, а чтобы понимать на слух речь, нужно владеть 3000 единиц, чтобы читать, понимая текст на 96%, необходим запас слов в 6000 единиц.

➡ Выводы

Учение о четырех видах речевой деятельности требует следующего:

1. **Каждый вид деятельности** обрабатывается самостоятельно, чтобы развивались умения, нужные именно для этого вида деятельности.

2. **Контроль умения данного вида.** Устные виды контролируются устными текстами, письменные — письменными.

3. **Умелое сочетание** всех четырех видов деятельности в учебном процессе, так как они тесно между собой связаны, хотя возможен приоритет одного из видов в зависимости от целей обучения.

4. **Преодоление** мнения:

   а) что, если учащийся много пишет упражнений, он научился писать (уметь писать — это уметь передавать письменно свои мысли, а не переписывать из учебника упражнения);

   б) что, если студент прочитал текст вслух, он научился читать (в этом случае можно сказать: он умеет соотносить букву и звук — технический навык);

   в) что, если учащийся заучивает диалоги наизусть или пересказывает текст, он умеет говорить (в этом случае можно говорить только о развитии навыков, помогающих освоить говорение, но не о говорении);

   г) что, если учащийся понимает на слух диалог, который он выучил, у него развились навыки слушания (в этом случае он только вырабатывает навыки, нужные для слушания) (см. табл. 1 на с. 60—61).

Таблица 1

Речевая деятельность (навыки, умения, способности)

Речь	Вид речевой деятельности	Технические навыки	Коммуникативные умения	Способности	Тактики и стратегии речевой деятельности
Устная	Говорение	Артикуляция. Интонация. Слитность. Правила произношения слов	От смысла к форме. Трансформация. Соотношение цели и отбора слов и фраз	Разработка артикуляционного аппарата. Имитация. Память. Наблюдательность. Внимание	Донести любым способом смысл (речь, мимика, жест, ситуация)
	Слушание	Распознавание фонем и интонаций на слух, соотношение звучания слова и его смысла	От формы к смыслу, схватить общий смысл (уметь «читать» ситуацию. Слышать ключевые слова. Уметь по части восстановить целое	Разработка слухового аппарата. Догадка. Прогнозирование. Память слуховая. Внимание	«Схватить» смысл. Выяснить. Уточнить. Повторить — «эхо». Перебить
Письменная	Чтение	Различение букв. Соотношение буквы и звука; буквенного состава слова и его значения	От формы к смыслу. «Схватить» общий смысл. Уметь видеть ключевые слова. Понимать состав и структуру фразы. По части восстановить целое. Знание жанров	Разработка зрительного аппарата. Догадка. Прогнозирование. Зрительная память. Внимание. Анализаторские способности	«Схватить» смысл. Увидеть главное. Восстановить для себя содержание

Окончание

| Пись-мо | Рисунок букв. Со-отноше-ние бук-венного состава слова и смысла | От смысла к форме. Транс-формация. Со-отношение це-ли и отбора слов и фраз. Знание жанров | Разработка моторного аппарата. Зрительная память. Логичность | Передать смысл без опоры на ситуа-цию — опираясь на логику текста, жанр |

УСТНЫЕ ВИДЫ РЕЧЕВОЙ ДЕЯТЕЛЬНОСТИ

ДАВАЙТЕ ОБСУДИМ:

1. *Что общего у говорения и слушания (аудирования) и чем они отличаются друг от друга?*
2. *С каким видом письменной речи сближается говорение, а с каким — слушание?*
3. *Какие умения нужны для выхода в устные виды речевой деятельности?*

Что общего у устных видов речевой деятельности, т. е. у **говорения** и **слушания**, и в чем их отличия (см. табл. 2).

Таблица 2

Особенности устных видов речевой деятельности и умения, необходимые для овладения ими

Особенности устной речи	Умения, необходимые для овладения устной речью
1. Воспринимается слуховыми каналами, воспроизводится артикуляционными органами	Развитость слухового и артику-лярного аппарата, ориентирован-ного на новый язык
2. Тесная связь с ситуацией, от-сюда эллиптичность речи	Умение «видеть», «читать» ситу-ативные подсказки. Умение ис-пользовать ситуацию
3. Связь с мимикой и жестом, с дистанцией	Внимание к жестово-мимической подсказке

Окончание

Особенности устной речи	Умения, необходимые для овладения устной речью
4. Спонтанность речи и краткость высказываний	Развитие смысловой догадки и прогнозирования. Умение по отдельным элементам восстановить целое. При нехватке лексики уметь передать смысл, трансформируя фразы, или догадаться о смысле по отдельным словам
5. Клишированность, идиоматичность речи	Знание речевых клише, идиом устной речи
6. Стандартное поведение (ритуальное, обрядовое) во многих ситуациях	Знание национальных стандартов поведения
7. Типизированные диалоги, полилоги, устные монологи, закрепленные за ситуациями	Знание типичных тем и их выражений в речи
8. Интерактивность, т. е. зависимость высказывания от высказывания собеседника и от того, какова цель собеседника	Умение «переключаться» на собеседника и включать его в разговор
9. Необходимость «перехватить» инициативу в разговоре или поддержать разговор	Знание речевых формул

Говорение (как и письмо) в отличие от слушания (как и чтения) является продуктивным видом речевой деятельности. Отсюда вытекает вывод, что умения, которые вырабатываются в говорении, будут отличаться от умений, необходимых для слушания (см. табл. 3).

Таблица 3

Умения, необходимые для говорения и слушания

Умения, необходимые для говорения	Умения, необходимые для слушания
1. Уметь «воспроизводить» речевой знак	1. Уметь «понимать», узнавать речевой знак

Окончание

2. Активные тактики:	2. Пассивные тактики:
а) воздействовать на собеседника; б) быстро трансформировать речь, если она непонятна; в) правильно донести смысл до собеседника; г) расположить к себе собеседника; д) опираться на свои знания, что дает возможность пользоваться даже небогатым языковым арсеналом	а) быть внимательным к чужой речи; б) ориентироваться в ситуации говорения и во внеречевых знаках; в) просить трансформировать речь, если она непонятна; г) понять смысл речи говорящего («схватить»); д) показать расположение к говорящему; е) опираться только на свой «языковой арсенал» невозможно, необходим большой пассивный запас и развитая догадка

Элементы устной речи

Грамматика:
клишированные фразы;
в первую очередь формы
1-е л., ед. и мн.ч.
(*я, мы*)
2-е л., ед. и мн.ч.
(*ты, вы*)
Структура предложения, неполные предложения

Техника говорения и слушания: артикуляция; интонация; ритмика; орфоэпия

Выбор слов: зависит от ситуации. Есть возможность опоры на ситуацию, на догадку (мимика, жест, ситуация)

Быстрая реакция на слова собеседника, сообщение своего мнения

Содержание: соответствует ситуации и цели

Процесс говорения (слушания): спонтанность речи, возможность использовать ситуацию, догадку, недосказанность, просьбу помочь сказать и т. д.

Адресат: учет адресата, нормы этикета

Цель: зачем мы говорим (информация, побуждение и т. д.)

ГОВОРЕНИЕ

ДАВАЙТЕ ОБСУДИМ:

1. *Как надо обучать, чтобы учащийся смог говорить на иностранном языке?*
2. *Что значит: «Он(а) говорит на иностранном языке?»*
3. *Какой лексический и грамматический минимум нужно усвоить, чтобы заговорить на иностранном языке?*
4. *Языковые, речевые и коммуникативные упражнения для развития устной речи. Какие это упражнения? В чем их отличие?*
5. *Есть ли разница между понятиями «говорение» и «общение»?*
6. *Чем отличается обучение диалогической речи от монологической?*
7. *Как контролировать и оценивать устную речь?*

ЧТО ТАКОЕ ГОВОРЕНИЕ

Говорение — устный, продуктивный вид речевой деятельности, в результате которой мы добиваемся своей цели, воздействуя на собеседника (см. табл. 4).

Механизм порождения говорения

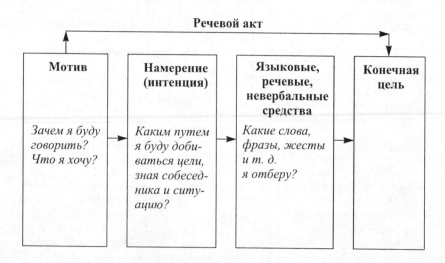

Таблица 4
Тактики и стратегии говорящего

Задачи, которые необходимо выполнить говорящему	Что надо знать говорящему для выполнения задач
Привлечь внимание слушающего	Речевые клише привлечения внимания
Войти в контакт (выйти из контакта) с собеседником	Речевые клише, невербальные средства контактоустановления
Расположить к себе слушающего	Формулы речевого этикета, соответствующие ситуации; невербальные средства
Заинтересовать собеседника	Как выяснить интерес, темы
Удержать внимание слушающего	Формулы вовлечения .собеседника в речь
«Втянуть» в речь, «разговорить»	Как задавать вопросы
Выяснить мнение	Как узнавать мнение собеседника
«Втянуть» в обсуждение, (дискуссию, диспут)	Как выражать согласие/несогласие с мнением, высказывать противоположное мнение
Вызвать нужную (зависящую от цели) конечную реакцию собеседника	Стандарты общения в разных ситуациях у носителя языка

Что значит «уметь» говорить на иностранном языке? Какие умения должны быть развиты? На какие имеющиеся у студентов способности можно опираться (см. табл. 5)?

Таблица 5
Умения, необходимые для говорения

Умения	Способы, развивающие умения
1. *Технические.* Артикуляционные (правильное произношение звуков, интонация, ритмика). Соотнесение значения слова с его артикуляционным оформлением	Имитация. Знание механизма получения нужного звука, интонации. Подвижность артикуляционного аппарата (язык, губы). Знание ритма. Заучивание, многократное проговаривание слов и фраз (память)

Окончание

Умения	Способы, развивающие умения
2. *Языковые*. Знание слов, грамматических форм	Анализ слов и форм. Проговаривание, заучивание (анализ, логическое мышление)
3. *Речевые*. Соотношение речевых моделей и ситуаций	Проигрывание многих ситуаций с использованием данных моделей — автоматизация
4. *Коммуникативные*. Соотношение отбора фраз с целью высказывания (от цели, от смысла — к фразе)	Перенос фразы с заученных ситуаций на новые (навык переноса). Решение проблем, задач. (Коммуникативность. Артистизм. Догадка. Реактивность)

Предварительная проверка способностей учащихся, помогающих обучению говорению

Возможно, прежде чем обучать говорению, следует проверить исходные способности учащихся, помогающие выйти в говорение. Это лишь обратит внимание учителя на то, что будет трудно данному ученику.

Можно проверить:

1. Способность *имитировать*. Предлагаются незнакомые слова или фразы, которые надо повторить. Они предъявляются один, два или три раза.
2. *Кратковременную память*. Дается несколько слов (или фраз), которые предлагается запомнить, а через 10 минут они проверяются.
3. *Артистизм*. Разыгрывание ситуации.
4. *Коммуникабельность*. Вопросник-анкета о любимых занятиях, наличии друзей, о проведении свободного времени.

ОСОБЕННОСТИ МОНОЛОГИЧЕСКОЙ И ДИАЛОГИЧЕСКОЙ РЕЧИ

С какими видами текста лучше всего работать при обучении говорению? Очевидно, во-первых, с теми, которые типичны для устного общения, предполагающие обязательное наличие одного или нескольких собеседников, т. е. в первую очередь с диалогами и полилогами. На продвинутом и профессиональном уровнях вводится и обучение устному монологу (доклад, выступление на собрании и т. п.), но все равно главными текстами остаются диалоги и полилоги. Каковы особенности этих видов текста?

Диалог. Цепь реплик, которые обычно порождаются одна за другой в условиях непосредственного общения двух собеседников, представляет собой диалог. Единая ситуация, контакт собеседников, широкое использование невербальных (неязыковых) элементов способствуют возникновению догадки. Другой отличительной чертой диалогической речи является ее спонтанность, поскольку содержание разговора, его структура зависят от реплик собеседника. Способность диалогического высказывания обусловливает использование разного рода клише и разговорных формул, а также нечеткую оформленность фраз. В диалоге нередки неожиданные переходы от одного вопроса к другому, от одной темы к другой, возврат к только что сказанному и т. д. Элементами диалога являются реплики различной протяженности — от одной до нескольких фраз. Наиболее типична однофразовая реплика.

Соединение реплик, характеризующихся структурной, интонационной и семантической законченностью, называют **диалогическим единством**. Диалогическое единство и должно служить исходной единицей обучения диалогической речи.

Выделяют три типа диалогических единств:
1. *Вопросо-ответное,* целью которого является получение информации.
2. *Волеизъявляющее,* цель которого — побуждение к совершению действия или запрещение его.
3. *Сообщающее,* цель которого — обмен информацией.

Монолог. Монологическая речь представляет собой относительно развернутый вид речи, при котором сравнительно мало используется неречевая информация, получаемая из ситуации общения. Порождение монологического высказывания — это особое и сложное умение, которое необходимо специально формировать. Обучение должно быть направлено на отработку правильности структурно-грамматического, лексического и стилистического построения высказывания, логической последовательности, а также на соответствие речевого высказывания коммуникативной цели, ситуации. В монологической речи различие между устной и письменной формой выражения несколько меньше, чем в диалогической.

Полилог. В современных учебниках можно найти образцы не только диалогической и монологической речи, но и полилога. Отличается ли он от диалога? Да, и существенно. Если мы посмотрим на группу людей, где один рассказывает, а многие слушают, переспрашивая, уточняя сказанное, то мы увидим, что это не диалогическая, а полилогическая речь, она не рассчитана на двоих, в ней участвует больше людей. Такая речь естественна и в аудитории. Полилоги стали текстовой основой суггестопедических курсов и курсов речевого общения. Сравните три текста.

Монолог	Диалог	Полилог
Я родился 17 сентября 1970 года в Москве. Так как я родился осенью, я очень люблю это время года...	*А*: Когда ты родился? *Б*: В сентябре. *А*: А какого числа? *Б*: 17-го в 70-м году. А ты? *А*: А я в марте, 3-го. Тоже в 70-м. *Б*: Ты, наверное, любишь весну, а я больше осень.	*А*: Олег, расскажи нам, когда ты родился? *Б*: Да, Олег, интересно. Расскажи о себе. Кстати, я тебя вчера видел в кино. *В*: Когда и где ты родился? *Г*: Ты случайно не москвич? Мне кажется, ты москвич. *Олег*: А как ты узнал? Я действительно москвич. *Д*: О! И я родилась в Москве. Мы земляки. *А*: Олег! А когда ты родился? *В*: Да! Расскажи, в каком году, какого числа, в каком месяце, мне надо вписать твои данные в анкету...

Как можно заметить, *полилог* позволяет:

1. **Многократно задавать один и тот же вопрос** (как бы «вращаться» вокруг одного вопроса). Это дает возможность студентам многократно «видеть», «слышать» нужную конструкцию.

2. **Включать в разговор всех студентов группы**, объединять всех общением. Таким образом, в отличие от монолога, где говорит один, а остальные пассивны, от диалога — где только двое заняты разговором, полилог активно вовлекает в общение всех учащихся.

3. **Быстро менять тему разговора**, «перескакивать» от одной мысли к другой.

4. **Оставлять часть вопросов без ответа,** что дает возможность педагогу обрабатывать большое количество лексического и грамматического материала.

Например, если надо ввести конструкции *Мне плохо. Меня тошнит. У меня болит голова. Я болен,* то это делается с помощью полилога так:

А:	Как ты себя чувствуешь?
Б:	Да! Виктор, как ты? Выздоровел?
Н:	У тебя уже не болит голова?
Виктор:	Нет, еще болит. И немного тошнит.
А:	О! Ты еще болен. Тебе еще надо сидеть дома.
Б:	А температура? У тебя повышенная температура?
А:	Да, у тебя есть температура?
Д:	Ты мерил температуру? Какая она?
Виктор:	Температура нормальная, но я чувствую себя плохо.
А:	Я вижу, что тебе плохо. По-моему, у тебя грипп. Ты болен.
Б:	У него грипп? Нет! Просто устал, я думаю. Надо отдохнуть, поспать, и все пройдет.
А:	А я думаю, у него грипп. Сейчас эпидемия.

Практика преподавателя

Попробуйте сами составить монолог, диалог, полилог. Сравните их. Тема: *Рассказ о семье* (конструкции: *У меня есть; У меня нет; Кто это*).

ПОСЛЕДОВАТЕЛЬНОСТЬ РАБОТЫ НАД ДИАЛОГОМ И ПОЛИЛОГОМ. ВИДЫ РАБОТЫ В АУДИТОРИИ

ДАВАЙТЕ ОБСУДИМ:

1. Как предъявлять учащимся полилоги и диалоги?
2. Надо ли требовать, чтобы студенты учили диалоги и полилоги наизусть?
3. Какой величины должны быть полилоги и диалоги на разных этапах обучения?
4. Чему мы обучаем студентов, работая над полилогами и диалогами?
5. Каковы конечные виды работы над полилогом и диалогом?
6. Как контролировать умения, которые вырабатываются при работе над полилогом, диалогом?
7. Чем отличается учебный диалог от естественного? Нужны ли учебные диалоги?
8. Какими бы вы хотели видеть учебные диалоги?

Последовательность работы над диалогом и полилогом может быть следующая.

1. Введение диалога или полилога

1. Преподаватель читает реплики диалога или полилога, предлагая каждую из них определенному учащемуся. Если встречаются незнакомые слова, фразы, преподаватель их объясняет или переводит на родной язык учащегося. *Цель этого предъявления — правильное восприятие текста учащимися.* Роль преподавателя может быть передана магнитофону: студенты слушают запись текста.

2. Текст раздается учащимся, и преподаватель вновь его читает, делая после каждой фразы паузы, в которые учащиеся по заданию педагога интонируют фразу (т. е. «мычат» мелодику) или читают ее хором вслух. *Цель — закрепление текста путем подражания преподавателю.* То же можно делать с магнитофонной записью.

3. Если необходимы объяснения лексики, грамматики, преподаватель их дает.

2. Отработка текста

Цель — развитие речевых навыков у учащихся.

1. Преподаватель читает микротекст. Учащиеся повторяют его хором и в парах, не глядя в книгу. *Цель — припоминание текста.*

2. Отрабатываются отдельные лексические и грамматические формы путем многократного повторения в упражнениях и играх. *Цель — формирование определенного лексико-грамматического навыка.*

Типичными формами работы этого этапа являются: составление диалогов и полилогов на заданную преподавателем микроситуацию, ролевые игры и различные виды дидактических игр с многократным повторением речевого образца. Приведем примеры.

❖ *Игры-эстафеты «Кто больше?», «Кто быстрее?»*

Группа делится на команды. Задание — перечислить профессии, связанные с сельским хозяйством, с обучением и т. п. Выигрывает команда, которая назовет больше профессий. *Цель — закрепление и автоматизация слов, фраз.*

Можно провести игру иначе. Участники каждой команды становятся цепочкой (один за другим). Каждый участник производит заданное речевое действие и становится в цепочки. Выигрывает команда, которая быстрее выполнит задание. Например, назвать фразеологизмы, в которых есть названия животных (*голодный как волк, устал как собака, крутиться как белка в колесе, топать как слон и т. д.*), назвать национальности жителей Европы (Азии, Америки), перечислить все виды домашней работы и т. п.

❖ *Игры типа лото, домино и т. п.*

Преподаватель заготавливает карточки (по типу лото или домино) с грамматическими формами. Учащиеся играют в эти игры по правилам игры в лото или домино и одновременно отрабатывают нужную грамматическую форму. *Цель — автоматизация грамматических форм.*

❖ *Игры с мячом.*

Учащиеся становятся в круг и перебрасывают мяч друг другу, выполняя определенное речевое действие. Например, называют синонимы, антонимы, заканчивают фразу, словосочетание и т. п. *Цель — автоматизация слов, фраз и т. д.*

❖ *Игра «круг в круге».*

Учащиеся делятся на две команды. Одна образует внешний круг, вторая — внутренний. Учащиеся первого и второго круга разворачиваются лицом друг к другу и выполняют в парах предложенное задание. По хлопку преподавателя внутренний круг передвигается по часовой стрелке на одного игрока, и новая пара выполняет предложенное задание. *Цель — автоматизация речевых актов.*

❖ *Игры-загадки.*

Группа загадывает что-либо или чье-то имя. Водящий отгадывает, задавая вопросы, и по описанию отгадывает предмет (человека).

❖ *Игра «снежный ком».*

Один учащийся говорит фразу. Каждый последующий учащийся повторяет ее и добавляет слово, расширяя фразу, или еще фразы, образуя текст.

❖ *Игра «Собери правильно».*

Преподаватель на отдельных карточках пишет части слов или слова из предложения. Карточки (в беспорядке) раздает учащимся. Их задача — восстановить слова или предложения. *Цель — развитие навыков словообразования и словоупотребления.*

Предлагаются различные вариативные микроситуации, близкие к текстовым, требующие употребления нужных речевых образцов. Микроситуации разыгрываются в парах и группах по три человека.

Правила работы в парах:

1. Преподаватель дает образец.

2. Образец повторяется всеми учащимися.

3. Учащиеся работают в парах под контролем преподавателя.

4. Одна пара (несколько пар) разыгрывает микроситуацию перед всеми учащимися. Преподаватель исправляет ошибки, вновь предлагая образец. Пары постоянно должны меняться.

3. Выход в общение

Цель — развитие речевых умений.

Учащимся предлагаются ситуации и этюды, требующие творческого решения самими учащимися. Учащиеся должны творчески применять речевые образцы, которые ими были получены ранее, в новых ситуациях. Речь учащихся спонтанна, условия говорения приближаются к условиям естественного общения. Типичной формой работы становятся коллективные формы, когда группа работает самостоятельно под наблюдением преподавателя. Вот несколько примеров.

✧ Застройка города.

Две группы разрабатывают план застройки нового города. Затем они «защищают» свои планы перед «комиссией», которая дает оценку этим планам.

✧ Спектакль.

Учащиеся получают сюжет. Они должны написать (придумать) сценарий и поставить спектакль.

✧ Лучший рассказ.

Группы вытаскивают карточку со словами. Задача — написать текст, используя эти слова (слов может быть 3—5—10 и т. д.).

✧ Коллективный рассказ (сказка).

Каждый по очереди продолжает начатую первым историю.

✧ Изобретатели.

Учащиеся получают картинки с изображением предметов. Их задача — расширить функции этих предметов, уменьшая, увеличивая, соединяя. Например, *зонтик (увеличить) — зонт для пляжа — парашют — крыша как купол* и т. д.

✧ Дискуссии.

Они могут быть различны: с повторением того, что говорил предыдущий; под таймер; перед «зрителями» (одна группа дискутирует, вторая слушает и оценивает).

✧ Сомнение, повторение, ошибка.

Предлагается сразу 3—4 темы, засекается время. На каждую тему надо высказаться за 1 минуту, не делая пауз, не сомневаясь, не повторяясь, не ошибаясь.

✧ Коллективное звуковое письмо.

Студенты обсуждают, что они напишут в ответ на «полученное» письмо.

✧ Догадка.

а) По заголовку статьи студенты прогнозируют содержание.

б) По отрывку видеофильма (со звуком) прогнозируют его содержание, взаимоотношение героев.

в) По отрывку видеофильма (без звука) делают предположения, о чем говорят герои.

г) По картинке прогнозируют, что предшествовало этому изображению.

✧ *Ситуации-загадки.*

Как бы вы поступили в такой ситуации? (Например, *девушка на дискотеке стоит одна и плачет; вы случайно столкнулись с человеком, который нес зеркало. Зеркало упало и разбилось*).

✧ *Интервью.*

Возьмите интервью у студента вашей (чужой) группы или у преподавателя кафедры, а затем сообщите об этом вашим студентам.

✧ *Вопросы-ответы.*

В начале каждого занятия преподаватель задает: а) реальные вопросы каждому студенту о жизни, учебе, здоровье и т. д.; б) студенты задают аналогичные вопросы друг другу и преподавателю.

✧ *Засыпать вопросами.*

Один-два студента опрашиваются всей группой. Вопросы задаются самые неожиданные.

Преподаватель, организующий всю творческую работу учащихся, должен руководствоваться следующими правилами:

создавать на занятиях доброжелательную обстановку,
не критиковать,
не перебивать,
не подменять учащихся,
стимулировать их активность, заинтересованность, все время поощряя, подбадривая и высоко оценивая их речевую деятельность.

Как развивать навыки эффективного общения

На продвинутом этапе обучения говорению можно рекомендовать приемы работы, которые предлагаются в курсах ораторского мастерства.

Итак, обучение говорению учитывает следующие моменты:

1. Работа над техникой говорения (проговаривание):
   — артикуляция звуков, слогов, слов, словосочетаний (стихи, скороговорки);
   — ударения (смена логических ударений);
   — ритм, интонация, паузация.

2. Вопросо-ответные диалогические единства:
   — общие вопросы и ответы на них;
   — специальные вопросы и ответы на них.
3. Работа над разными типами диалогических единств.
4. Правильное употребление образца в заданной ситуации:
   — ваш ответ в данной ситуации;
   — разыгрывание диалога.
5. Перенос усвоенных речевых образцов в новые ситуации.
6. Работа над монологической устной речью.

Последовательность работы

1. **Введение** разговора (возможно, с использованием магнитофона, но всегда лучше устное) — *студенты должны понять содержание.*

2. **Отработка** (фонетическая, лексическая и грамматическая) отдельных элементов — *выработка лингвистической компетенции.*

3. **Выход в общение.** Частичное изменение контекста, но сохранение главной ткани разговора. Тренировка речевых образцов в близких, вариантных ситуациях — *выработка речевой компетенции.*

4. **Введение задачи,** которую надо решить. Перенос речевых образцов в новые ситуации, а затем создание более широкой ситуации — *выработка коммуникативной компетенции.*

НЕДОЧЕТЫ В РАБОТЕ НАД ГОВОРЕНИЕМ

1. Недостаточно времени отводится на уроке для данного вида деятельности. У студента *нет возможности говорить на каждом уроке.*

2. Иногда преподаватель, давая задание разыграть диалоги или выступить с монологом, разрешает студенту *читать* написанный *текст.*

3. Нередко говорением считается выученный *наизусть* и продекламированный студентом диалог (или текст). Однако это не говорение — это проговаривание заученных фраз. Не исключая такой работы, особенно на начальном этапе, нужно дополнить ее заданиями, где студенты самостоятельно должны решать проблемные ситуации с использованием выученного материала.

4. Часто как говорение квалифицируется *пересказ* прочитанного (прослушанного) текста. Хотя это возможный вид работы над текстом, но не считается собственно говорением (его называют проговариванием текста). Чтобы работа над текстом стала говорением, нужно, чтобы студенты самостоятельно решали (обсуждали, дискутировали, дебатировали и т. д.) проблему, связанную с содержанием текста.

5. Преподаватель не всегда проводит студента через все три стадии работы, вырабатывая языковую, речевую и коммуникативную компетенцию. Чаще всего отсутствует третья ступень работы. Преподаватель читает, комментирует текст, предлагает студентам выучить нужные модели, затем студенты «разыгрывают» или пересказывают текст, и на этом работа прекращается. Студентам не предлагается *самостоятельная деятельность*, связанная с материалом текста.

6. У преподавателя «нет времени» на то, чтобы студенты *свободно беседовали.*

7. Чаще всего преподаватель — сам лидер общения: он задает вопросы, он направляет беседу. Это приучает студентов к *пассивной роли* собеседника.

8. Далеко не всегда преподаватели *контролируют и оценивают* владение устными формами речи (говорение и аудирование), предпочитая поддающиеся статистике контрольные по грамматике. Это приводит к тому, что студенты не стремятся работать над устной речью, не слушают аудиозаписи, «отмалчиваются» при работе над диалогами и в беседах, не обращают внимания на свои фонетические и интонационные ошибки.

РЕКОМЕНДАЦИИ
ПО РАБОТЕ НАД РАЗВИТИЕМ НАВЫКОВ ГОВОРЕНИЯ

1. Включать работу над говорением в каждое занятие, четко формулируя цели: какой вид компетенции отрабатывается (техника говорения, автоматизация речевых умений, выход в коммуникацию).

2. Планируя занятия, ставить вопросы: Какими речевыми действиями овладеют студенты после данного урока? Что они смогут сказать в данной ситуации?

3. Чтобы увеличить время, нужное студенту для говорения, можно рекомендовать:

а) постоянно планировать беседы студентов в парах, тройках и группах. Это даст возможность каждому студенту высказаться (поговорить);

б) практиковать работу в лингафонном кабинете (в классе или дома) с записью диалогической и монологической речи студентов. Разрешать студентам, прежде чем начинать говорить, записать свою речь и затем прочесть ее. Позже просить говорить, не заглядывая в текст. Если такую работу студенты делают дома, преподаватель проверяет кассеты, оценивает речь студентов, обращая внимание на типичные ошибки, нарушающие понимание речи. Лучше, если эти замечания преподаватель записывает на кассету студента, чтобы студент приучался слушать и воспринимать устную речь.

4. Разыгрывая диалоги в аудитории, рекомендовать студентам говорить без бумажек, поскольку в последнем случае процесса говорения, как мы уже писали, не происходит. Причем диалоги рекомендуется «играть», т. е. вести себя в соответствии с ситуацией.

5. Если студенты выступают с монологом, предложить им занять место преподавателя перед аудиторией. Монологи рекомендуется также говорить, а не читать.

6. Планируя работу над говорением, преподаватель обязательно (!!!) должен включить три ступени работы: языковую, речевую и коммуникативную. Не скупиться выделять время на свободную беседу студентов. Можно при этом рекомендовать небольшие (1—2 минуты) фрагменты из видеофильмов или текстов, стимулирующих мотивацию (конфликт, эмоциональная реакция, проблема).

7. Преподаватель не всегда должен быть лидером общения. Ему следует чаще передавать эту роль студентам. Это особенно важно делать на продвинутых этапах обучения. Студентам можно предлагать вместо преподавателя задавать вопросы, вести беседу, подготовить и провести дискуссию.

Например, группа разбивается на пары (тройки). Каждая пара (тройка) готовит материал по определенной теме, составляя вопросы, словарь, осуществляя подборку текстов, а затем проводит дискуссию. Преподаватель находится в это время вместе со всей группой.

8. Обязательно проводить контроль говорения, включая его в экзамены. Это могут быть задания с разыгрыванием ситуаций, выступлениями с монологом, с участием в дискуссии и т. п. Критерии оценок должны учитывать умения студентов использовать изученный ими материал.

Практика преподавателя (ситуативные задания и упражнения)

✓ *Задание 1. Примеры ситуативных заданий. Какие достоинства и недостатки вы в них видите?*

1. Подготовьте диалог на тему «Как мы провели день?»
2. Поговорите о своем дне.
3. У одного из вас был хороший день, у другого — тяжелый и неудачный.
4. Вы хотите вечером пойти в кино. Договоритесь, когда и где надо встретиться.
5. У вас сегодня много дел: нужно подготовиться к контрольной, сходить в магазин за продуктами, заехать к друзьям, а вечером пойти кино. Вам звонит друг, который говорит, что он сегодня свободен и хочет поехать в парк. Вы решаете, что тоже хотите отдохнуть, и пойдете с другом.

✓ *Задание 2. Составьте план уроков, развивающих навыки говорения, по теме «Мой режим дня».*

1. Какая конечная цель уроков, какие действия научатся выполнять учащиеся?
2. Какая последовательность работы?
3. Какие виды упражнений будут предлагаться (для развития лингвистической, речевой и коммуникативной компетенции)?
4. Какие конечные виды работы?

✓ *Задание 3. На каком этапе обучения и с какой целью можно предложить следующие задания?*

1. Расскажите своему другу, с кем вы познакомились. Опишите внешность этого человека, впечатление, которое он на вас произвел, назовите его профессию.
2. «Перепись населения» (многоступенчатое задание для групп учащихся):
   а) составьте анкету для того, чтобы собрать сведения о каждом участнике группы;
   б) обсудите анкету, отберите лучшие вопросы;
   в) соберите сведения по каждому пункту у членов группы.
   г) обобщите данные и сообщите их всей группе.
3. Представьте, что вы можете пригласить в гости этих исторических личностей и объясните, почему вы их пригласили. (Студентам дается список исторических лиц. Сначала ведется общий разговор о них. Затем студенты разбиваются на

группы, и каждая группа обсуждает, кого она считает нужным пригласить и почему. Студенты должны пригласить 10 человек (можно дополнить своими кандидатами). Затем все вместе обсуждают предложенные списки.)

1) Линкольн	*10) Ньютон*
2) Брежнев	*11) Наполеон*
3) Бетховен	*12) Шекспир*
4) Эйнштейн	*13) Сталин*
5) Ленин	*14) Конфуций*
6) Вашингтон	*15) Клеопатра*
7) Гитлер	*16) Юлий Цезарь*
8) Чайковский	*17) Сократ*
9) Моцарт	*18) Пушкин*

✓ *Задание 4. С какой целью, по вашему мнению, предлагаются в учебниках по развитию речи следующие упражнения?*

1

1. Составьте предложения с указанными синонимами (омонимами, многозначными словами, сочетаниями).
2. Трансформируйте вопросительную фразу в повествовательную (или наоборот).
3. Расширьте (сократите) предложение.
4. Опишите предмет (явление) двумя-тремя фразами.

2

1. Перескажите текст с некоторой модификацией (измените конец или начало, введите новое действующее лицо, измените композицию изложения и т. д.).
2. Перескажите содержание прослушанного рассказа близко к тексту.
3. Составьте план прослушанного рассказа.
4. Опишите ситуацию или составьте рассказ (по ключевым словам, по плану).
5. Опишите картину или серию картин (карикатуру, немой фильм, диафильм и т. п.), ориентируясь на разного собеседника: ребенка, взрослого и т. п.
6. Объясните заголовок (реалии): о чем этот текст?
7. Воспроизведите ситуацию, в которой использованы названные слова, клише и обороты.
8. Изложите диалог в монологической форме (или наоборот).

3

1. Ответьте на вопросы к тексту (краткое, полное, развернутое).
2. Поставьте вопросы к тексту (к фразе, к членам предложения).
3. Составьте диалог по прослушанному (прочитанному) монологическому тексту.
4. Дополните (измените) диалог.
5. Составьте диалог по содержанию рассказа (учебного фильма, диафильма и т. д.).

4

1. Придумайте заголовок к тексту в газете для молодежи и объясните свой выбор.
2. Опишите картину (карикатуру). Картина связана с изученной темой.
3. Составьте аналогичную ситуацию (с опорой на жизненный опыт или ранее прочитанное).
4. Изложите собственное мнение о прочитанном тексте. Охарактеризуйте действующих лиц (место действия, эпоху и т. д.). Дайте оценку прослушанному (прочитанному).

✓ *Задание 5. Какую цель преследует преподаватель, когда на начальном этапе предлагает следующие упражнения?*

1. Повторите за мной диалог (имитативные).
2. Повторите хором эту фразу, а теперь по одному (интенсивное повторение речевого образца).
3. Учащиеся поочередно ходят по аудитории и комментируют свои действия: *Я иду в университет. А сейчас я иду в библиотеку.* Остальные учащиеся могут соглашаться, повторяя образец.
4. «Ложные утверждения». Преподаватель дает альтернативную установку: *Согласитесь или не согласитесь.* Потом он предлагает фразы, не соответствующие ситуации. Например, направляясь к таблице с надписью «Школа», преподаватель говорит: *Я иду в университет.* Реакция студентов: *Нет, вы идете в школу.*
5. Учащимся предлагается объяснить причину отказа выполнить просьбу, уточнить обстоятельства действия и т. д.: *Откажитесь выполнить просьбу, объяснив причину* (отрабаты-

вается употребление вида глагола после слов *не надо*. Например, *Включи свет. — Не надо включать. Еще светло*).

✓ **Задание 6.** *Когда, с какой целью даются следующие задания (какой тип задания: языковой, речевой, коммуникативный)?*

1. Скажите, что он (она) тоже это делает.

М о д е л ь: — *Я читаю книгу.*
                 — *Таня тоже читает ее сейчас.*

2. Спросите, сколько времени продолжалось действие.

М о д е л ь: — *Мы сделали уроки.*
                 — *А сколько времени вы их делали?*

3. Скажите, кто это сказал, если вы знаете, что Мария — физик, Олег — адвокат, Миша — педагог.

а) Я очень люблю детей.

б) Я учусь на юридическом факультете.

в) Я изучаю закон Ньютона.

4. Кто поступил на какой факультет университета?

Маша: *Я хочу работать в школе.*
Аня: *Я очень люблю химию.*
Игорь: *Я хочу быть, как папа, адвокатом.*

СЛУШАНИЕ (АУДИРОВАНИЕ)

ДАВАЙТЕ ОБСУДИМ:

1. *Как вы думаете, что труднее: научиться говорить или понимать на слух (аудировать) иностранную речь?*

2. *Какие трудности вы испытываете (или испытывали) при аудировании иностранной речи?*

3. *Какие способности человека помогают быстрому развитию умений слушать?*

4. *Какие упражнения развивают речевой слух, прогнозирование, кратковременную память?*

5. *Какие упражнения можно рекомендовать для развития навыков аудирования?*

6. *Какие проблемы, связанные с обучением слушанию, вы бы сформулировали?*

ЧТО ТАКОЕ СЛУШАНИЕ (АУДИРОВАНИЕ)

Слушание — устный репродуктивный вид речевой деятельности, в результате которой мы получаем информацию от партнера или узнаем о его целевой установке (см. табл. 6).

Механизм порождения слушания

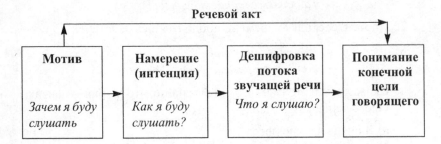

Таблица 6

Тактики и стратегии слушающего

Задачи, которые необходимо выполнить слушающему	Что надо слушающему для выполнения задач
1. Обратить внимание на говорящего	Речевые клише типа: *Я слушаю..., Расскажите...* Поддакивание: *Да, конечно; Вы правы...*
2. Показать свою заинтересованность	Речевые модели типа: *Интересно; Это очень важно.*
3. Удержать внимание на предмете разговора	Прием «эхо» — повторение отдельных фраз (говорящий: *Это было хорошо* — слушающий: *Это было хорошо*)
4. Стимулировать продолжение разговора	Умение задавать вопросы, эмоционально реагировать на сказанное: *А дальше?; А он что сказал?; Ну?; Неужели!*
5. Уточнять, переспрашивать, если непонятно, слишком быстро, нелогично	Например: *Повторите, я не поняла; Мне непонятно; Пожалуйста, говорите медленнее (громче)*

6. Подтверждать свое понимание	Например: *Понятно; Вы имеете в виду...?*
7. Выразить свое мнение (согласиться, не согласиться с собеседником)	Например: *Мне кажется; Я думаю; Я согласна; Вы правы*
8. Перехватить инициативу	Например: *Не стоит об этом; Кстати, у меня был такой же случай*

Что значит «уметь слушать»? Какие умения должны быть развиты? На какие имеющиеся у учащегося способности можно опираться (см. табл. 7)?

Таблица 7

Умения, необходимые для слушания (аудирования)

Умения	Способы, развивающие умения
1. *Технические.* Слух. Умение на слух различать фонологические пары и интонационные оттенки. Соотносить звучащую оболочку со значением	Имитация. Тренировка различения звуковых пар, прослушивание с помехами. «Выхватывание» из потока речи знакомых слов
2. *Языковые.* Знание фонологических и грамматических структур, лексики; умение воспринимать их на слух	Понимание и заучивание. Многократное прослушивание и повторение. Прослушивание с заполнением пропущенных слов и т. п.
3. *Речевые.* Умение дешифровать звуковые сигналы, т. е. соотнести звучание со значением	Прослушивание текстов с пересказом, с ответами на вопросы, с упражнениями на проверку понимания, с пропусками слов, фраз
4. *Коммуникативные.* Умение понять звуковую установку говорящего («авторскую позицию»), иметь свою целевую позицию прослушивания и реализовать ее в аудировании	Решение проблемных ситуаций с заданными целевыми позициями для партнеров. Целевые установки для прослушивания

Исходные способности, нужные для слушания:

- Имитация.
- Память.
- Догадка.
- Прогнозирование.
- Внимание.
- Слух.

Предварительная проверка способностей учащихся, помогающих обучению слушанию

1. Способность *имитировать* (см. «Говорение»). Предлагаются незнакомые слова или фразы, которые надо повторить после первого предъявления или после двух-трех предъявлений, если учащийся не смог повторить с первого или второго раза.

2. Проверка *слуха*. Студентам даются пары звуков, которые могут быть абсолютно одинаковыми или разными (например: 1) *б-б*; 2) *б-б '*). Их задача определить, услышали ли они один и тот же или разные звуки.

3. *Догадка*. Студенты слушают фразу (текст) с незнакомыми для них словами, куда включено 1—2 слова, которые можно узнать (географические названия, личные имена, интернационализмы, экзотизмы). Студент должен «выхватить» эти слова и догадаться, о чем говорилось.

4. *Внимание*. Студенты смотрят несколько секунд на картинку. Затем, закрыв ее, рассказывают, что они запомнили.

ТИПЫ УПРАЖНЕНИЙ ДЛЯ РАЗВИТИЯ УМЕНИЙ СЛУШАНИЯ (АУДИРОВАНИЯ)

1. *Тексты или диалоги, записанные на магнитофонной кассете.*

- Ответьте на вопросы.
- Правда/неправда (поиск правильных ответов на вопросы).
- Поиск деталей.
- Нахождение основной информации.
- Запись известных слов.
- Пересказ речи участников разговора.

2. *Тексты на кассете и визуальный материал на бумаге.*

- Картинка города, портрет или ряд портретов, о которых сообщается на кассете. Нужно понять, что в описании не соответствует картинке.

• Положить ряд картинок в той последовательности, в какой они описываются на кассете.

• Карта. На магнитофонной кассете (по телефону) даются указания, как доехать до определенного места. Надо начертить маршрут на карте.

3. *Рассказ преподавателя.*

Преподаватель рассказывает о себе, своих друзьях, своем детстве и т. д. Он говорит на тему, которая обсуждается или обсуждалась на уроке раньше. Ключ к успеху — хорошо продуманный рассказ, который кажется учащимся спонтанным. Студенты слушают рассказ, реагируя на сказанное репликами (они могут быть заданы на карточках): поддакивание — *Интересно! Да. Конечно;* прием «эхо»; стимулирование — *Ну а дальше;* переспросы — *Извините, я не понял(а). Повторите, пожалуйста. Медленнее, пожалуйста,* и т. д.

4. *Рассказ с картинкой по методу Рассиаса.*

Преподаватель рассказывает и рисует на доске. Это возможно, например, при рассказе о городе, квартире, о том, где вы были, и т. д. Учащиеся должны слушать и записывать слова, которые узнают. После этого преподаватель задает вопросы, чтобы восстановить текст.

5. *Мини-лекция об истории, культуре, искусстве, обычаях,* которую учащиеся записывают как конспект.

6. *Чтение вслух сказки или рассказа* с возможным подключением тактик слушающих или целевой установки: *Послушайте русскую сказку и скажите, на какую известную вам сказку она похожа.*

7. *Песни, вслушивание и понимание слов песни.*

8. На начальном этапе — *понимание команд преподавателя*, которые надо выполнять: встать, повернуться, сесть, поднять руки и т. д.

9. *Учащиеся слушают друг друга.*

• Один рассказывает о своем доме, а другой рисует план дома.

• У двух студентов есть списки, которые отличаются друг от друга. Например, это может быть список приглашенных гостей, описание мебели, одежды, список продуктов и т. д. Один студент читает вслух список, второй сравнивает со своим.

• Один учащийся сообщает данные о человеке, другой заполняет анкету.

• Один диктует другому («по телефону») расписание занятий или сообщает время и место, где нужно встретиться.

10. *Работа с видеокассетой.*

• Смотреть фильм и, слушая, заполнять пропуски в сценарии, который имеется у студента.

• Смотреть и слушать, а затем отвечать на вопросы.

• Слушать без изображения, догадаться, какой будет визуальный ряд.

• Смотреть видеоряд без звука, догадаться, о чем говорят герои, проверить догадку вторичным просмотром со звуком.

• Посмотреть отрывок, спрогнозировать развитие событий.

• Посмотреть отрывок, обсудить конфликт.

Типы заданий на аудирование для начинающих

1. *Слушайте пары слов и слогов, поставьте плюс (+), если вы слышите одинаковые слова и слоги, или минус (-), если они разные* (тренировка слуха).

1. дом — дом	+	6. ток — тёк ☐
2. дом — дым ☐		7. жар — жар ☐
3. сыр — сыр ☐		8. шеп — щеп ☐
4. дим — дым ☐		9. ци — ти ☐
5. лак — ляг ☐		10. чук — тюк ☐

2. *Слушайте, отмечайте в своем списке имена, которые слышите* (развитие слуха, внимания, догадки). Преподаватель читает:

1. Аллисон	5. Дафна	8. Мэри
2. Барт	6. Карина	9. Нэнси
3. Виктор	7. Линда	10. Пауль
4. Григорий		

Студенты в своем списке отмечают, что они слышат.

1. Alice	Alex	Allison
2. Bob	Boris	Bart
3. Valerie	Victor	Vladimir
4. Gregory	George	Garik
5. Dmitry	Donna	Daphna
6. Kathleen	Karen	Kirk
7. Linda	Louis	Larry
8. Maria	Mari	Michael
9. Norma	Natalie	Nancy
10. Peter	Paul	

3. *Слушайте фразы. Отметьте в своем списке имена, которые вы услышите* (развитие слуха, умения «выхватывать» знакомое в потоке речи). Преподаватель читает.

1. Марлен гуляла в парке.
2. Долгое время Джери не знала, что делать.
3. Я совсем не знал девушку, которую все называли Ада.
4. У меня была знакомая Алла, но я ее давно не встречал.
5. Меня познакомили с красивой девушкой. Ее звали Лина.

Студенты отмечают в своем списке.

1. Marina	Marleen	Maria
2. Jerry	Jennifer	George
3. Charles	Charlie	Charlene
4. Anna	Alla	Ada
5. Laura	Lina	Linda

4. *Слушайте фразы, в которых называются марки машин, запишите в карточке марки машин, которые вы услышали* (развитие слуха, догадки).

1. Японская машина «Тойота» мне очень нравится.
2. Однажды я ездила на огромном старом «Кадиллаке».
3. Машины марки «Форд» довольно популярны в России.
4. А как вам нравится «Рено»? Неплохая, по-моему, машина.
5. Мне кажется, что «Линкольн» — самый лучший автомобиль.
6. А мне больше всего нравится «Мерседес».
7. Пожалуй, я куплю «Роллс-ройс», если ты не против.
8. «Вольво» тоже машина неплохая, но я предпочту японскую машину.

5. *Слушайте фамилии известных людей и записывайте их в карточку* (развитие слуха, догадки, умения «выхватывать» знакомое в потоке речи).

1. Я очень люблю сонеты Шекспира.
2. Когда я был в Мадриде, то ходил на выставку Пикассо.
3. Я знаю, конечно, что Ленин был марксистом.
4. Это монумент Линкольну.
5. Вы, конечно, знаете, что Рузвельт был президентом во время Второй мировой войны.
6. Я читала Хемингуэя и очень его люблю.
7. А Марк Твен вам нравится?
8. Чайковский — мой самый любимый композитор.
9. Семья Кеннеди очень известна в США.
10. Я сейчас читаю по политологии статьи Черчилля.

6. *Произнесите слова (фразы) вслед за диктором; обратите внимание на произношение* [л] *и* [л'].

ла — ля   лог — лег
лак — ляг   лык — лик
лук — люк

7. *Слушайте фразу и ответ на нее. Отметьте в графическом ключе, какой был ответ* (развитие слухового навыка).

Вопрос: — *Привет, Виктор.*
Ответы: — *Спасибо, Виктор.*
         — *Здравствуй, Виктор.*
         — *Виктор, как дела?*

8. *Слушайте вопросы, отвечайте на них по образцу и вписывайте пропущенные слова в написанные ответы.*

О б р а з е ц 1:	О б р а з е ц 2:
Вы слышите: — *У вас есть брат?*	— *У вас есть брат?*
Вы говорите: —*Да, у меня есть брат.*	— *Нет, у меня нет брата.*
Вы пишете: — *У меня есть брат.*	
1. — У него есть сестра? — _____ есть сестра.	1. — У него есть сестра? — У него нет _____
2. — У них есть кошка? — _____ есть кошка.	2. — У них есть кошка? — У них нет _____

9. *В диалогах вы будете играть роль одного из героев диалога.*

1) Виктор и Анна.

Виктор: — *Привет. Как дела?*
Анна: — *Привет. Спасибо, хорошо.*

Повторите диалог. Вы — Анна.

2) Профессор и студент. Слушайте диалог.

— *Доброе утро, Игорь.*
— *Доброе утро, Олег Иванович.*

Повторите диалог. Вы — студент.

10. *Слушайте диалоги и отвечайте на вопросы.*

Вы слышите: — *Анна, здравствуй, куда ты идешь?*
— *Я иду в университет.*
Затем вы слышите: — *Куда идет Анна?*
Вы отвечаете: — *Анна идет в университет.*

НЕДОЧЕТЫ В РАБОТЕ НАД СЛУШАНИЕМ (АУДИРОВАНИЕМ)

1. Часто аудирование как элемент урока или домашнего задания отсутствует. Преподаватель считает, что его русская речь на уроке — это и есть аудирование, хотя этого недостаточно.

2. Предлагая аудиотекст, преподаватель проводит большую подготовительную работу, снимая все трудности, что не приучает студента быть «активным» слушателем.

3. Предлагая аудиотекст, преподаватель спешит переводить непонятные слова и фразы, что приучает студента к необходимости постоянной подсказки.

4. Иногда преподаватель считает, что студенты должны все понять сами (хотя контекст может не подсказывать этого), и многократно проговаривает этот текст, а студенты, как не понимали с первого раза, так и не понимают его после многократного повторения.

5. Преподаватель, предлагая текст на аудирование, разрешает студентам его просматривать (читать). В этом случае не развиваются навыки аудирования.

6. Предлагая текст на аудирование, преподаватель не ставит целей аудирования: *что* студенту надо услышать, *для чего* он будет слушать.

7. Недостаточно включаются в работу аутентичные аудиотексты: отрывки из видеофильмов и телепрограмм, записи радиопрограмм и т. п.

8. К сожалению, даже работая над аудированием, преподаватели не всегда включают его в экзаменационные виды работ. Это, во-первых, не дает возможности преподавателю увидеть, чего достигли его студенты; во-вторых, не стимулирует студентов заниматься в лаборатории.

РЕКОМЕНДАЦИИ ПО РАБОТЕ НАД РАЗВИТИЕМ НАВЫКОВ СЛУШАНИЯ (АУДИРОВАНИЯ)

1. Аудирование должно быть **постоянным элементом урока.** Планируя урок, преподаватель обязательно включает специальную работу над аудированием. На начальном этапе это может быть различение на слух звуков, слов, фраз; прослушивание небольшого текста; рассказ преподавателя о реальных событиях, новостях. Это может быть намеренно ошибочный пересказ преподавателем текста (событий), чтобы студенты услышали ошибку.

2. Аудирование должно быть **постоянным элементом домашней работы** (лингафонный кабинет). Хотя бы один раз в неделю студенты должны слушать и выполнять упражнения по прослушанному материалу без опоры на зрительное восприятие.

3. Полезно включать в работу, особенно на продвинутом этапе (хотя приучать к этому можно уже на начальном уровне), **аутентичные аудиотексты:** видеофильмы, радио- и телепередачи.

4. Предлагая аудиотексты, необходимо **ставить цель** — зачем нужно слушать этот текст: а) чтобы получить нужную информацию (сформулировать, что именно); б) чтобы высказать свое отношение к этому событию; в) чтобы сравнить эти сведения с уже имеющимися и т. п.

5. Преподаватель должен представлять, насколько труден будет аудиотекст студентам, смогут они сами справиться с этими трудностями (не спешить помогать, а развивать догадку) или требуется

подсказка. Необходимо постоянно приучать **студентов к «схваты-
ванию» основного смысла,** чтобы они не стремились понять каждое слово.

6. Устные виды речи (диалог, полилог) лучше давать сначала
в устном предъявлении. Преподаватель при этом «убивает двух
зайцев»: развивает навыки аудирования и вводит новый текст. С
точки зрения современной методики работу над диалогом не рекомендуется рассматривать как работу над чтением.

7. Обязательно **включать проверку аудирования в контрольные работы** и выносить на экзамены.

Практика преподавателя (аудиторные упражнения)

✓ *Задание. С какой целью и на каком этапе рекомендуются эти
упражнения? Что они развивают?*

1

1. Слушайте и повторяйте пары слов.

   *живот — он живет, мы живем — живьем, цел — цель,
   полет — польет, был — бил, мыло — Мила, бить — пить,
   жар — шар.*

2. Прослушайте слова: *чай, шьют, сел, пьет,* найдите каждое из
   них в графическом ключе.

   *чей — чай — чья, шьем — шутка — шьют, сел — съел —
   съесть, порт — Петр — пьет.*

3. Определите на слух рифмующиеся слова, отметьте их цифра-
   ми (*пример, премьер, ножом, ружьем*).

4. Прослушайте пары слогов (слов, предложений), поставьте в
   графическом ключе (на карточке,) плюс (+) если слоги (слова, предложения) одинаковые, и минус (–), если они разные.

5. Слушайте вопросы и отмечайте в графическом ключе, какой
   возможен ответ.

   Вопрос: — *Сколько времени?*
   Ответы: — *Сейчас холодно.*
            — *Сейчас 2 часа.*
            — *В два часа.*

2

1. Слушайте фразы, отмечайте в графическом ключе слова, которые названы (имена, географические названия, названия фирм и т. п.).
2. Диктант. Слушайте текст, старайтесь понять его содержание. Вновь слушайте текст и пишите.
3. Слушайте фразы, пишите тип интонационной конструкции.
4. Прослушайте текст (посмотрите и прослушайте в видеозаписи), заполните пропуски в графическом варианте текста.

3

1. Прослушайте ряд слов, запомните и воспроизведите из них те, которые относятся к одной теме (тема называется).
2. Прослушайте фразы, соедините их в одно предложение. (Предъявляются 2—3 короткие фразы.)
   Вы слышите: *Брат читает. Сестра читает.*
   Вы говорите: *Брат и сестра читают.*
3. Прослушайте и повторите за диктором (учителем) фразы. (Длина их превышает объем кратковременной памяти, т. е. состоит из десяти и более слов.)

   Вчера наши студенты играли в футбол со студентами соседнего университета и проиграли.

4. Прослушайте фразу, добавьте к ней еще одну, связанную по смыслу.
   Вы слышите: *Я живу в Нью-Йорке.*
   Вы говорите: *Я живу в Нью-Йорке. Это большой и красивый город.*

4

Просмотрите в графическом ключе опорные слова и назовите тему, которой посвящен аудиотекст. Затем прослушайте смысловой кусок и проверьте правильность своего ответа.

Вы читаете опорные слова: *футбол, матч, счет, играть, выиграть, команда.*

Вы записываете тему: «Футбольный матч».

Вы слушаете текст: *Вчера наша команда по европейскому футболу встречалась с командой чикагского университета. Счет был равный, ничья. Ни одна команда не смогла выиграть в этом матче.*

5

1. Прослушайте текст, дайте развернутые ответы на вопросы, которые вы услышите после текста.

2. Воспроизведите прослушанный текст, но измените сами конец (начало, середину). Задача группы — услышать, какие сделаны изменения.

3. Выделите в прослушанном сообщении смысловые куски и озаглавьте их (напишите план).

4. Прослушайте текст, составьте рецензию на него, используя следующий план: а) тема сообщения, б) действующие лица, в) краткое изложение содержания, г) основная идея, д) оценка прослушанного.

5. Прослушайте текст, заполните анкету.

Автор и название текста	
О ком (о чем) текст	
Краткое содержание текста	
Какие нужны ключевые слова, чтобы его пересказать	
Незнакомые слова в тексте	

6. Прослушайте диалог (полилог).

● О чем говорили участники разговора? Что они обсуждали?

● Как они выражали свое мнение, свои эмоции?

ПИСЬМЕННЫЕ ВИДЫ РЕЧЕВОЙ ДЕЯТЕЛЬНОСТИ

ДАВАЙТЕ ОБСУДИМ:

1. Что общего у чтения и письма и чем они отличаются?

2. С каким видом устной речи сближается чтение, а с каким — письмо?

3. Что значит «уметь читать», «уметь писать» на иностранном языке? известно, что и на родном языке разные люди читают и пишут по-разному.

Чтение и письмо — виды письменной речи. Письменная речь требует наличия у студента определенных способностей и развития определенных умений (см. табл. 8).

Особенности письменных видов речевой деятельности и умения, необходимые для овладения ими

Особенности письменной речи	Умения, необходимые для овладения письменной речью
1. Воспринимается зрительными каналами, воспроизводится моторным способом	Развитость зрительного аппарата, моторных навыков, ориентированных на новый язык
2. Отсутствие связи с окружающей в данный момент ситуацией, отсюда развернутость речи, сложные фразы, многообразие лексики, логическая последовательность	Знание лексики и грамматики, умения «видеть» связи слов в тексте, связи фраз в микротекстах
3. Полнота высказываний, отсутствие эллипсисов	Понимание логической структуры фразы и текста, понимание связей в тексте и умения их реализовать
4. Связь текста с определенными типами и жанрами	Знание жанровых видов и типов текста
5. Преобладание монологического вида текста	Умения логически строить (воспринимать) текст, связывать фразы в текст. Знание актуального членения (порядок слов во фразе)
6. Временная продолжительность восприятия текста	Это облегчает работу, позволяя пользоваться словарем, возвращаться несколько раз к разным частям текста
7. Клишированность частей текста в «жестких» видах текста	Знание клише и умение ими пользоваться

Элементы письменной речи

Грамматика: грамматические правила, согласование и управление, структура предложения, порядок слов

Техника письма и чтения: графика, орфография, пунктуация

Выбор слов: для письма — зависит от адресата, цели и содержания

Организация текста:
<u>для письма:</u> связь фраз, оформление соответственно жанру, правильное расположение главной и второстепенной мысли;
<u>для чтения:</u> внимание к заголовку, первой и последней фразе абзаца, ключевым словам

Ясное, четкое изложение (письмо) и понимание (чтение)

Содержание: последовательное изложение (восприятие) мысли

Процесс письма: композиция, план, редактирование, черновик
Процесс чтения: выявление плана, композиция текста

Адресат:
<u>для письма:</u> кому адресуется текст
<u>для чтения:</u> кому он адресован

Цель: зачем мы пишем и читаем, какую цель мы преследуем

ЧТЕНИЕ

ДАВАЙТЕ ОБСУДИМ:

1. *Чтобы читать, надо знать большое количество слов и грамматику. А можно ли научить студентов пользоваться ограниченной лексикой и извлекать из текста основную информацию?*

2. *Чтобы читать, надо уметь прогнозировать содержание текста. Как этому научить? Какие упражнения могут помочь?*

3. *Надо ли предлагать студентам читать вслух? Если «да», то какая цель преследуется?*

4. *Как вы думаете, когда говорят: «техника чтения», «умение читать», что имеют в виду?*

5. *Как можно контролировать умения читать? Какие требования надо выдвигать? Каковы критерии оценки этих умений?*

ЧТО ТАКОЕ ЧТЕНИЕ

Чтение — письменный репродуктивный вид речевой деятельности, в результате которой мы получаем нужную информацию, эмоции или узнаем авторскую позицию (см. табл. 9).

Цель обучения чтению — раскрытие смысловых связей (понимание) речевого произведения, представленного в письменном виде. Для того чтобы научиться читать, необходимо выработать определенные навыки и умения (см. табл. 10). Их условно делят на две группы:

1) навыки и умения, обеспечивающие *техническую сторону* (восприятие графических знаков, соотношение их с определенным значением);

2) навыки и умения, позволяющие *воспринять смысл текста* (установление смысловых связей в тексте, восприятие его содержания).

Можно различить два уровня понимания текста: уровень значения (получение информации) и уровень смысла (понимание замысла автора, оценка и отношение к нему читающего).

Механизм порождения чтения

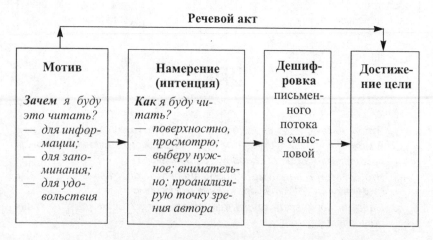

Таблица 9

Тактики и стратегии читающего

Задачи, которые необходимо выполнить читающему	Что надо читающему для выполнения задач
1. Быстро понять тему текста	1. Ориентировка в видах, типах и жанрах текстов. Внимание к заголовку, оглавлению, автору, жанру текста
2. «Схватить» общий смысл текста	2. Развитая догадка и прогнозирование текста, навыки просмотрового чтения (чтение по диагонали). Внимание к первым и последним абзацным фразам и ключевым словам
3. Понять содержание текста	3. Навыки внимательного пофразового чтения
4. Проанализировать авторскую позицию	4. Навыки анализирующего, изучающего чтения с многократным возвращением к разным частям текста
5. Запомнить содержание текста и позицию автора	5. Навыки выборочного, поискового чтения. Умение составить план текста, контекст, выписать цитаты и т. п.

Таблица 10

Умения, необходимые для чтения

Умения	Способы, развивающие умения
1. *Технические.* Зрение. Умение соотносить букву и звук. Умение видеть графический образ слова. Соотносить его со значением	Звуковое проговаривание (чтение вслух). Диктанты. Чтение с пропусками букв в слове. Мгновенное узнавание слова по части слова

Окончание

Умения	Способы, развивающие умения
2. *Языковые.* Знания графической системы, грамматических структур, основ словообразования, лексики	Понимание и заучивание букв, слов. Упражнения на словообразование. Чтение текста с пропусками слов, фраз и восстановление пропущенного
3. *Речевые.* Дешифровка текста	Ответы на вопросы по содержанию текста. Пересказ. Сравнения близких текстов с точки зрения их сходства и различия
4. *Коммуникативные*	Чтение с разной целевой установкой. Различные виды чтения

Исходные способности, нужные для чтения

- Зрительная память.
- Догадка. Прогнозирование.
- Наблюдательность.
- Внимание.
- Логическое мышление.

Предварительная проверка способностей учащихся, помогающих обучению чтению

1. *Зрительная память.* Прочтите фразу. Закройте ее и повторите.

2. *Догадка.* Предлагается часть фразы — продолжите ее.

3. *Прогнозирование.* Предлагаются ключевые слова или заголовки. Скажите, о чем этот текст?

4. *Внимание.* Можно проверить по квадратам внимания (есть в последующем тексте).

5. *Наблюдательность.* Посмотрите друг на друга. Отвернитесь. Ответьте на вопросы (вопросы о деталях портрета и одежды).

КОММУНИКАТИВНЫЙ МЕТОД И ОБУЧЕНИЕ ЧТЕНИЮ

Как правило, любой читатель обращается к газете, журналу, научной или художественной литературе с конкретной целью. Эта цель определяется повседневными и профессиональными потребностями. Мы читаем для того, чтобы пополнить свои знания, опереться на мнение ученых, писателей в разговоре с друзьями и коллегами, обобщить информацию и выступить с сообщением или докладом, написать статью на определенную тему.

▶ Вывод

Если при чтении мы не преследуем никакой цели, даже развлекательной, оно теряет всякий смысл.

В этом случае нам даже трудно понимать читаемое. При изучении иностранного языка, читая, мы выполняем сложную умственную работу. Цели, которые мы поставили перед чтением, хотим мы этого или нет, регулируют наше внимание и как лучом света освещают нужную нам информацию, оставляя «в темноте» лишние, ненужные сведения. По выражению Смита, известного специалиста в области психологии, чтение без выбора, без соотнесения с целями можно уподобить чтению всего телефонного справочника, в то время как человеку нужно найти лишь один номер. К тому же цель эта легко может быть достигнута, если он воспользуется расположением фамилий по алфавиту.

Процесс чтения регулируют коммуникативные задачи, которые предстоит решать читателю в своей повседневной или профессиональной деятельности. Они бывают разными.

Пользуясь прочитанным, можно передать полученные знания другим. В разговоре, в устном выступлении, в письменном сообщении можно сравнивать точки зрения на определенную проблему, опираясь на авторитетное мнение, использовать материал для доказательства собственных взглядов.

▶ Вывод

Коммуникативные задачи регулируют процесс чтения, определенным образом организуют ход наших мыслей при чтении.

Так, если ставится задача ответить на письмо друга, интересующегося политическими новостями, то главным при чтении текстов становится поиск информации об этих новостях, после чего полученные сведения передаются в форме письма. Совсем по-другому будут читаться те же тексты, если выдвинута задача критически отнестись к этим новостям. Читатель будет отыскивать уязвимые места в рассуждениях, противоречия, попытки авторов преувеличить значение какого-либо события и т. п. Таким образом, коммуникативные задачи включают чтение в контекст широкой деятельности — деятельности читателя.

IIII➡ Вывод

> **Если коммуникативная задача хорошо осознается читателем, то это позволяет ему сэкономить время на чтение и при этом повысить его эффективность.**

Например, выполняя коммуникативную задачу изложить в популярной лекции известные факты о русской культуре, необходимо прежде всего, читая литературу, отобрать эти факты, классифицировать их, а затем представить в лекции. Особенно заметна разная направленность внимания, различное включение мыслительных процессов, если читать один и тот же текст с различными коммуникативными установками. Например, **задание:** *Найдите в афишах нужную информацию: а) если вы хотите пойти на футбол; б) если вы хотите посмотреть баскетбол.*

Спортивный зал «ДРУЖБА» **БАСКЕТБОЛ** Международный турнир 26 октября в 10 и 16 часов 27 октября — ФИНАЛ Билеты продаются в кассах стадиона Справочная служба стадиона: 201-09-55 Автоответчики: 246-55-15, 16, 17, 18	ЦЕНТРАЛЬНЫЙ СТАДИОН **ФУТБОЛ** 48-й чемпионат РОССИИ Начало в 18 часов Билеты продаются в кассах стадиона Справочная служба стадиона: 201-09-55 Автоответчики: 246-55-15, 16, 17, 18

И еще к вопросу об обучении чтению. Обучение чтению на иностранном языке строится обычно от элементов к целому, т. е. считается, что, если учащийся усвоит отдельные буквы, научится их озвучивать и сочетать друг с другом, начнет узнавать слова в тексте, он научится читать. По словам специалистов в области новых форм обучения, это глубокое заблуждение.

Как показывает психолингвистика, **процесс чтения идет не путем «набора» слов, а на основе словесных и даже фразовых стереотипов, которые служат опорными признаками, благодаря чему слова понимаются сразу.** Причем часть букв вообще может не замечаться. Этот навык не может быть развит, если у читателя не развита способность смыслового восприятия текста. Чтение — процесс не такой примитивный, не такой простой, не такой механический, как это иногда еще представляют. Нельзя считать, что учащиеся смогут читать, не освоив такие мыслительные операции, как умение соотносить внешний образ слова с его внутренним содержанием, прогнозировать, предвосхищать, т. е. предвидеть следующие слова, фразы, отбирать нужную информацию в зависимости от целей чтения.

Коммуникативный метод предлагает при обучении чтению опираться, как и при обучении устному общению, на ролевую игру. Так, например, участвуя в игре *«Посещение театра»,* учащиеся демонстрируют, как они собираются в театр, как добираются до театра, как покупают билеты, выражая все, что видят и чувствуют. А далее «зрители» превращаются в «актеров» и начинают читать роли. Обратите внимание на то, что чтение текста мотивировано поставленной задачей: прочесть, чтобы затем разыграть роли.

▐▌▌▌➡ **Вывод**

Таким образом, процесс обучения чтению тесно связан с будущей устной речью учащихся.

Кроме того, если на уроке преподаватель предлагает такие виды деятельности, как дискуссия, «круглый стол» и т. п., то, конечно, этому должна предшествовать большая самостоятельная работа студентов с текстами, из которых они отберут информацию для устного общения.

▐▌▌▌➡ **Вывод**

Итак, обучение чтению должно быть мотивировано, поскольку мы всегда читаем с определенной целью: получить информацию, развлечься, подготовиться к семинару и т. д.

ТИПЫ ЧТЕНИЯ И ВИДЫ РАБОТЫ С ТЕКСТОМ

Типы чтения и виды работы с текстом при чтении представлены в табл. 11 и 12.

Таблица 11

Виды и типы чтения

Что мы читаем?	Зачем? (Цель чтения)	Как? (Виды чтения)
Газеты, журналы	Получение самой общей информации	**Просмотровое** чтение с общим, поверхностным пониманием содержания
Письма	Общение, установление контакта, ответ	

Окончание

Что мы читаем?	Зачем? (Цель чтения)	Как? (Виды чтения)
Рецепты, меню, инструкции	Правильное выполнение действия	**Ознакомительное** чтение с пониманием всего содержания
Объявления, афиши, рекламы		**Выборочное** поисковое чтение — нахождение нужной информации, цитаты, данных
Учебники, словари Научные работы Художественная литература	Планирование действий Использование данных для запоминания Эстетическое удовольствие Передача информации для ссылки на источники и пополнения знаний	**Внимательное**, анализирующее, изучающее чтение — максимально полное, точное, медленное чтение

Таблица 12

Виды работы с текстом

Виды работы с текстом при чтении	Основная цель — умение читать	Дополнительные учебные цели
1. Беспереводное чтение	Умение прогнозировать, догадаться, «схватить» общее содержание	Развитие навыков восприятия текста в целом
Переводное чтение	Понимание текста через перевод; сопоставление речевых формул в двух языках в сходных ситуациях	Контроль понимания; навыки перевода

Продолжение

2. Чтение без словаря	Умения понять слова из контекста, прогнозировать, догадываться	Развитие догадки, прогнозирования, знание словообразования
Чтение со словарем	Умения анализировать текст при подсказке	Накопление лексико-грамматического материала Умение работать со словарем
3. Чтение без предварительного снятия трудностей	Умения самостоятельно читать без подсказки	Развитие навыков чтения
Чтение с предварительным снятием трудностей (предтекстовая работа)	Облегченное чтение с подсказкой	Лексико-грамматические навыки Снятие нервозности из-за непонимания
4. Чтение про себя	Навыки собственного чтения, восприятия смысла	Развитие умений читать
Чтение вслух	Технические навыки соотношения звука и буквы, написанного слова и значения, интонирование, логические ударения (донести смысл читаемого до слушателя)	Контроль Фонетические навыки правильного произношения звука, интонации
5. Классное чтение	Учебное чтение под контролем	Контроль умений читать и иные цели
Домашнее чтение	Самостоятельное чтение, подготовка к классной работе	Расширение словарного запаса

Окончание

Виды работы с текстом при чтении	Основная цель — умение читать	Дополнительные учебные цели
6. Фронтальное чтение (все читают текст)	Учебное чтение	Развитие навыков чтения
Индивидуальное чтение	Учет интереса учащихся для мотивации чтения	Развитие интереса к чтению
7. Учебное чтение	Чтение учебных и аутентичных текстов под контролем преподавателя	Лексико-грамматическая тренировка, запоминание моделей
Реальное чтение	Самостоятельное чтение реальных текстов с учетом собственных интересов	Выработка привычки к чтению. Расширение знаний о культуре народа, говорящего на изучаемом языке

НЕДОЧЕТЫ В РАБОТЕ НАД ЧТЕНИЕМ

1. Нередко преподаватель, предлагая новый текст, читает его вслух, затем просит учащихся прочесть текст тоже вслух и после этого задает вопросы о содержании прочитанного. Причем преподаватель искренне считает, что обучает чтению. Однако это не так! Здесь, по крайней мере, два недостатка. Первый — при чтении вслух внимание студента приковано не к смыслу, а к артикулированию, и поэтому студент не в состоянии воспринять содержание, чтобы ответить на вопросы. Второй — чтение предполагает умение видеть графические знаки и соотносить их с содержанием. Поэтому преподавателю необходимо дать студентам время, чтобы они могли самостоятельно молча (!!!) прочесть текст, прежде чем отвечать на вопросы.

2. Так как бытует мнение, что чтение — это прочтение любого текста вслух на уроке, оно нередко и оценивается как именно такое

умение «читать». На самом деле это не чтение как вид речевой деятельности, а техника чтения.

3. Преподаватели не всегда выделяют время на уроке и в домашней работе студента, чтобы развивать навыки именно этого вида деятельности, считая, что чтения материалов учебника достаточно для этого. В результате:

а) у учащихся не развиваются навыки догадки и прогнозирования текста;

б) не обращается внимания студентов на грамматическую структуру фраз в тексте и на семантическую структуру текста;

в) студенты не обучаются тому, как быстро находить информацию в тексте, как по ключевым словам догадываться о содержании текста и т. п.

4. Не все преподаватели и не всегда вводят домашнее чтение, т. е. самостоятельное внеклассное прочитывание произведения студентами, что, кстати, широко практиковалось при переводно-грамматическом методе и резко сократилось во времена усиленного изучения устных форм речи. С нашей точки зрения, работать над развитием навыков чтения без включения домашнего чтения малопродуктивно.

5. Чтение — как вид речевой деятельности не всегда контролируется и оценивается преподавателем, хотя известно, что именно благодаря навыку чтения студент дольше сохраняет знание языка и в любой момент может самостоятельно продолжить его изучение.

РЕКОМЕНДАЦИИ ПО РАБОТЕ НАД РАЗВИТИЕМ НАВЫКОВ ЧТЕНИЯ

1. Планируя программу курса, преподаватель должен найти время и место для работы над этим очень важным видом речевой деятельности.

2. Планируя занятие, преподаватель может задать себе вопрос, будет ли включена в урок работа над развитием навыка чтения, какого именно навыка, на каком тексте.

3. Нужно, чтобы контрольные работы и экзамены обязательно оценивали умения студентов в этом виде деятельности на разных этапах обучения, начиная с начального.

4. Рекомендуется уже на начальном этапе знакомить студентов с аутентичными текстами, принося в класс газеты, журналы, книги;

предлагать по заголовкам определить, о чем текст, по оглавлению или цитате догадаться о содержании книги.

5. Практиковать домашнее чтение, которое приучает студентов работать с книгой, развивает навыки чтения, обогащает лексический запас учащегося, расширяет его эрудицию.

Какие тексты читать и как

1. Читайте кроме учебных и аутентичные тексты.

2. Подбирайте задание к тексту или текст к заданию.

3. Оценивайте трудность текста с точки зрения:

а) синтаксических и стилистических сложностей;

б) тематического интереса;

в) жанра.

4. Давайте упражнения на стратегии и тактики чтения.

5. Давайте упражнения на анализ логических связей в тексте:

а) покажите повторяемость;

б) активизируйте фоновые знания.

6. Всегда ставьте цель, преследуемую при чтении (получить информацию, найти цитату, сравнить и т. д.).

СТРАТЕГИИ ДЛЯ УСПЕШНОГО ЧТЕНИЯ НА ИНОСТРАННОМ ЯЗЫКЕ

Человек, который хорошо читает на иностранном языке:

— помнит о том, что текст имеет смысл и логическое развитие;

— догадывается по контексту о содержании (игнорирует незнакомые слова);

— использует контекст предыдущих и последующих предложений и абзацев;

— видит грамматические связи между словами;

— оценивает свои догадки;

— читает заглавия и делает из них выводы;

— не останавливается, если что-то трудно понять;

— узнает и правильно идентифицирует когнаты;

— использует фоновые знания;

— анализирует незнакомые слова;

— читает, чтобы понять смысл, а не только слова;

— рискует и проверяет свои догадки;

— использует для понимания иллюстрации;

— правильно находит слова в словаре;

— пропускает непонятные слова;

— использует все «ключи», которые можно.

Если проанализировать каждое из этих положений, можно увидеть, какие задания надо давать ученикам, чтобы они научились хорошо читать.

• Чтобы студенты не забывали о логической структуре текста, можно перед чтением задать вопрос: *Чего вы можете ожидать от данного текста?*

• Чтобы научить студента догадываться по контексту о содержании и игнорировать незнакомые слова, можно дать установку: а) найти знакомые или узнаваемые слова; б) быстро (1 минута) прочитать абзац и сказать, что поняли; в) проверить, что понял каждый (при чтении в парах, тройках).

• Чтобы использовать контекст, можно попросить найти главные слова в абзаце.

• Чтобы учащиеся видели грамматические связи между словами, они должны показать, где подлежащее и сказуемое, как связаны они с другими словами.

• Чтобы они оценивали свои догадки, можно задать им вопрос: *Почему вы думаете, что...?*

• Учить их просматривать заглавия и определять тему заметки, статьи...

• Учить студента не останавливаться, если трудно понять что-то. Читать дальше — понять общий смысл.

• Узнавать и правильно идентифицировать когнаты. Давать отдельно упражнения на когнаты.

• Использовать фоновые знания. Активизировать эти знания перед чтением.

• Анализировать незнакомые слова. Приставки, суффиксы, время глагола, форму падежа и т. д.

• Чтобы понять смысл, а не только слова, перед чтением дать вопросы, на которые следует найти ответ.

• Учить студентов выдвигать свои предположения о тексте (рисковать) и проверять свои догадки.

• Использовать для понимания иллюстрации.

• Правильно находить слова в словаре. Дать словарные упражнения, показывать, как значение меняется в зависимости от контекста (чаще практиковаться в работе со словарем на всех уровнях).

ТИПЫ УПРАЖНЕНИЙ ПРИ ОБУЧЕНИИ ЧТЕНИЮ

I

А. Предтекстовые упражнения

1. Посмотрите на заголовок. Как вы думаете, о чем идет речь?

2. Если речь идет о…, какие вопросы могут обсуждаться?

3. Какие слова типичны для этой темы?

4. По заголовкам выберите статью, которую вы хотите прочитать?

5. Зачем надо читать текст? Цель определяет тип чтения: просмотровое, ознакомительное, выборочное, внимательное (анализирующее).

6. Могут быть упражнения на снятие лексико-грамматических трудностей.

Б. Притекстовые упражнения

1. Заполните таблицу (информация из одного или нескольких текстов).

2. Решите, куда вы пойдете (объявления).

3. Есть (или нет) информация о…

4. Найдите ответы на вопросы.

5. «Правда-неправда».

6. Определите, о чем идет речь в заметке.

7. Определите, о чем идет речь в каждом предложении.

8. Найдите, почему текст так называется.

9. Есть ли в тексте новая для вас информация?

В.1. Притекстовые и послетекстовые структурные задания

1. Перечитайте и найдите слова, которые…

2. Найдите прилагательные, которые определяют существительное.

3. Вы знаете части слова, что означает все слово?

4. Найдите слова с корнем…

5. Найдите глаголы с приставками… Что они означают в этом контексте?

6. Найдите два слова, которые…

7. Найдите эквиваленты слов…

8. Задайте вопросы к тексту (к фразе, к членам предложения).

9. «Сверните» текст в одну фразу.

10. «Расширьте» фразу в текст.

11. Трансформируйте фразы.

12. Замените слова синонимами.

В. 2. Послетекстовые коммуникативные задания. Выход в устную и письменную речь

1. Напишите ответ, заявление, просьбу прислать информацию.

2. Позвоните по телефону.

3. Возьмите интервью у автора статьи.

4. Напишите новый заголовок.

5. Разбейте текст на части, озаглавьте их.

6. Объясните друг другу, какую информацию вы нашли.

7. Напишите краткое содержание: в одном предложении, в двух и т. д. Напишите аннотацию (справку) и т. д.

8. Напишите рекламу текста (критический разбор) и т. д.

II

1. Упражнения, формирующие технические навыки чтения

✧ Упражнения на различение графических знаков

1. *Пропуски.* Вставьте пропущенные буквы в слове; пропущенные слова во фразе; пропущенные фразы в тексте.

2. *Сколько раз повторилось слово?* Дается контрольное слово, затем еще 5—7 слов. Здесь может быть и контрольное слово, и иные слова, по составу букв мало отличающиеся от контрольного. Указать, сколько раз повторилось контрольное слово. Время чтения ограничено.

П р и м е р: *ИДЕЯ — идеал, идея, идти, имея, идея.*

3. *Разное-одинаковое.* Даются пары слов. Одни — разные. Другие — одинаковые слова. Задание: быстро просмотреть слова (время ограничено) и отметить — О (одинаковые), если слово повторяется, и Р (разные), если слова разные.

П р и м е р: *дело — дуло — Р*
тело — тело — О
мыло — мило — Р

При этом не требуется, чтобы студенты знали, понимали эти слова.

2. Упражнения для развития способностей, необходимых при чтении

⬥ Упражнения на развитие кратковременной памяти

1. Прочитайте словосочетания и повторите их, не глядя в текст.

2. Прочитайте предложение, произнесите его, не глядя в текст. Прочитайте второе предложение и повторите первое и второе вместе (и так далее по принципу 1 << 2 << 3<< 4).

3. *Карточки памяти.* Даются карточки, на которых в беспорядке и разными шрифтами написаны слова, не связанные общей темой (10—12 слов: значения слов должны быть известны). Студент изучает список не более 30 секунд, закрывает список и пишет слова, которые запомнил.

П р и м е р :

⬥ Упражнения на развитие внимания

1. *Квадрат внимания.*
Дается квадрат, в который вписан алфавит (могут быть слова). Задание: прочесть буквы в алфавитной последовательности.

П р и м е р :

Б	Ё	В	Р	Ч
А	П	З	Е	Ц
Д	К	И	Ж	Х
Й	Л	О	М	Ф
Г	Н	С	У	Т

2. *Мелькающая буква.*

Преподаватель одну секунду показывает букву (слог, слово), написанную крупно на бумаге. Студенты должны успеть ее прочесть.

◇ **Упражнения, формирующие умение работать со словарем**

1. Запишите ряд слов, начинающихся на одну букву. Укажите последовательность расположения слов в словаре.

2. Расположите по алфавиту слова, имеющие две (три) общие первые буквы.

3. Найдите в словаре значения данных слов (предлагаются слова, имеющие одну первую общую букву, затем две общие первые буквы, наконец, слова, имеющие разные начальные буквы).

Итоговые требования к умению находить значения новых слов по словарю (2 минуты на слово).

3. Языковые (лексические, грамматические) упражнения

◇ **Упражнения на снятие лексико-грамматических трудностей**

1. Прочитайте и найдите слова, имеющие тот же корень, что и слово *письмо (писать, писатель, письменный, запись).*

2. Прочитайте и назовите слова, синонимичные словам *недалеко, четко, трудно.*

3. Прочитайте и подберите синонимы к словам *трудиться, устраивать, показывать.*

4. Подберите антонимы к словам *громкий, быстрый, новый.*

5. Замените конструкцию синонимичной: *Москва — столица России.*

6. Замените простое предложение синонимичным ему сложным: *По прибытии делегация была принята министром иностранных дел.*

◇ **Упражнения на формирование словаря**

1. Прочитайте существительные (прилагательные, глаголы) и скажите, от каких глаголов (существительных, прилагательных) они образованы: *чтение, газетный, работник, московский, болящий.*

2. Прочитайте сложные слова и скажите, из скольких и каких простых слов они образованы: *общежитие, фотоаппарат.*

3. Объясните значения слов *московский, юбилейный, поздравительный.*

4. Определите значение слов исходя из их составных частей: *космический, национальный*.

5. Прочитайте текст и найдите заимствованные слова из других языков (из вашего родного языка).

6. Прочитайте текст, найдите слова, заимствованные из русского языка языками других народов (вашего народа).

7. Прочитайте текст и определите значения выделенных слов.

8. Прочитайте слова в левой и правой колонке и соедините: а) синонимы; б) антонимы; в) единые словосочетания.

4. Речевые упражнения на развитие умений читать

✧ **Упражнения на развитие понимания логических связей в тексте**

1. «*Лом*». Соберите фразу из отдельных слов.
Предлагаются слова, взятые из одного предложения.

П р и м е р: *едет (на) в (четыре) университет (в) машине (студент) часа (библиотеки) из университета*

2. Соберите текст из фраз.

1) *Поэтому она послала письмо в компанию по продаже кондиционеров.*

2) *Эта история произошла недавно.*

3) *Анна, секретарь большой компании, часто бывала на совещаниях работников этой компании.*

4) *Компания по продаже кондиционеров ответила очень быстро.*

5) *Она спрашивала, как очистить воздух в комнате совещаний.*

6) *На совещаниях много курили.*

7) *Когда она открыла письмо, она прочитала: «Кондиционер, который вам может помочь, стоит 5000 долларов. Но вы можете истратить меньше, если купите за 5 долларов табличку „НЕ КУРИТЬ"».*

8) *После совещаний у Анны очень часто болела голова.*

✧ **Упражнения на развитие умений прогнозировать текст**

Для выработки умений читать важно научиться понимать общий смысл текста. Чтение — это постоянный процесс предугадывания содержания. А поэтому важно развить способности прогнозировать содержание. Общая схема работы с текстом включает следующие этапы.

1. Изучение внешних характеристик текста (заглавие, автор, оглавление, иллюстрации, объем) и выдвижение гипотезы о содержании и предназначении текста.

2. Беглый просмотр текста для проверки своей гипотезы.

3. Прочтение текста для подтверждения гипотезы.

4. Выдвижение новой гипотезы, если первая была неверна.

5. Изучение текста для выяснения всех дополнительных сведений, сообщаемых в тексте.

✧ Упражнения на развитие смысловой догадки

1. Прочитайте заголовок и определите содержание текста.

2. Прочитайте первый абзац и определите тему текста.

3. Прочитайте последний абзац и определите, какое содержание может ему предшествовать.

4. Постройте предложения из данных слов (слова предъявляются не в логической последовательности).

5. Продолжите предложение (дается начало предложения и несколько возможных вариантов его окончания).

6. Закончите предложение (дается начало предложения). Начинать такого типа упражениния следует с фраз, допускающих один вариант прогнозирования.

7. Расклассифицируйте слова по группам, связав их общей темой. Раздаются карточки, на которых написаны отдельные слова, личные имена, географические названия или словосочетания, цитаты.

П р и м е р:

На карточках написаны слова *экватор, снег, Антарктика, жара, солнце, обезьяны, тропики, пингвины, полюс, ливень, станция, исследование, лианы.*

Студенты раскладывают слова по группам.

1. ТРОПИКИ	2. ПОЛЮС
лианы	снег
экватор	Антарктика
жара	станция
солнце	исследование
ливень	пингвины
обезьяны	
ЮГ	СЕВЕР

8. *Прогноз.* Если текст будет об обычаях страны, как вы думаете, как он будет начинаться, о чем в нем будет рассказываться?

5. *Развитие коммуникативных умений, необходимых при чтении*

◇ **Чтение по «подсказкам» (ключевые слова и фразы), просмотровое чтение**

Чтение включает восприятие, понимание и запоминание. Все процессы взаимосвязаны. Мы воспринимаем и запоминаем текст, когда его пониманием, значит, необходимо научится мыслить в процессе чтения. Не каждый человек хорошо владеет этим процессом даже на родном языке, а тем более это сложно на иностранном (кстати, умения чтения на родном языке могут быть проверены заранее).

Что значит понять смысл прочитанного? Значит, усвоить мысли другого человека, а для этого нужна активность, умение анализировать, конкретизировать, обобщать:

прочитать → уяснить → усвоить →
продумать → выписать → оценить

Чтобы научиться быстро понимать смысл всего текста, надо уметь найти ключевые слова и фразы текста. Они несут главную нагрузку. Выбор ключевых слов — это первый этап смыслового сокращения, свертывания, сжатия текста.

◇ **Упражнения для работы над просмотровым и ознакомительным чтением**

1. Прочитайте фразы. А теперь быстро просмотрите текст и найдите ключевые фразы в тексте.

2. В тексте выделены ключевые слова, прочтите только их и скажите, о чем этот текст.

3. Прочтите только первые фразы в абзацах и скажите, о чем этот текст.

4. Прочтите только последние фразы. О чем этот текст?

5. Прочтите первые и последние фразы абзацев. О чем этот текст?

6. Закройте текст прозрачной пленкой, на которой много черных пятен. Часть текста закрыта. Читайте текст, догадываясь, какие слова закрыты.

7. Прочитайте предложение сначала полностью, потом опуская выделенные слова, не несущие главной информативной нагрузки, и скажите, остался ли понятным смысл предложения.

8. Подчеркните в тексте слова, которые могут быть опущены без ущерба для понимания текста.

9. Найдите в тексте основные мысли, ориентируясь на заголовок или план.

✧ **Упражнение, развивающее навыки поискового чтения**

Найдите в тексте:

а) ответы на вопросы;

б) слова со значением… ;

в) ключевые слова;

г) фразу, которая передает такое содержание… .

✧ **Упражнения, развивающие навыки внимательного, анализирующего чтения**

1. Озаглавьте. Разбейте текст на части и озаглавьте каждую часть.

2. Читайте текст. В ходе чтения определите тему текста.

3. Читайте текст. Находите ответы на данные вопросы.

4. Найдите в тексте предложения, которые являются ответами на вопросы, предъявляемые до и после чтения текста.

5. Подтвердите или опровергните такие утверждения.

6. Выберите из серии предложенных ответов или утверждений те, которые соответствуют содержанию текста.

7. Составьте серию вопросов к тексту.

8. Составьте различные варианты плана текста.

9. Определите количество смысловых частей в тексте.

10. В каждой смысловой части выделите детали, раскрывающие мысль.

✧ **Упражнения на увеличение скорости чтения**

1. Прочитайте абзац текста. (Текст должен быть прочитан за определенное время.)

2. Читайте текст про себя. (Преподаватель через определенное время останавливает чтение и фиксирует объем прочитанного.)

3. В процессе чтения найдите ответы на вопросы. (Ответы должны быть найдены за определенное время.)

4. Найдите границы отдельных частей текста по пунктам плана.

⫸ Внимание!

При работе над увеличением скорости чтения необходимо учитывать скорость чтения на родном языке, избегать пословного чтения.

✧ Упражнения, подготавливающие воспроизведение прочитанного текста

1. Выделенные слова замените одним словом.

2. Простые предложения объедините в одно сложное.

3. Из сложного предложения сделайте два простых.

4. Сократите предложения и запишите сокращенный вариант.

5. Сократите абзац (текст) и запишите сокращенный вариант.

6. Перескажите текст, заменяя изучаемые конструкции синонимическими.

6. Упражнения, предусматривающие выход в устную и письменную речь

1. Перескажите текст, используя изучаемые конструкции и лексику с учетом слушателя.

2. Передайте новую информацию, полученную из текста, двумя-тремя предложениями.

3. Перескажите текст от лица другого персонажа.

4. Охарактеризуйте данное действующее лицо.

5. Составьте рассказ по плану.

6. Разыграйте сюжет прочитанного рассказа.

7. Преобразуйте монолог в диалог (диалог — в монолог).

Практика преподавателя (аудиторные упражнения)

✓ *Задание. Как вы думаете, какие цели ставит преподаватель, используя следующие упражнения.*

1. Прочитайте список слов. Отметьте, какое слово лишнее, т. е. не относится к данной тематической группе.

П р и м е р:　*мясо　　груша*
　　　　　　　яблоко　мальчик

2. Прочитайте три фразы. Какие две фразы передают единый смысл, а какая — иной?

П р и м е р: *1) Мальчик прекрасно учится.*
              2) Мальчик — хороший ученик.
              3) Мальчик никогда не пропускает занятия.

3. Прочитайте контрольную фразу, затем еще три фразы. Какая из трех фраз передает тот же смысл, что и контрольная фраза?

П р и м е р: ЭТО ЧЕЛОВЕК С БОЛЬШОЙ БУКВЫ.
              Это человек высокого роста.
              Это совершенный человек.
              Это хороший специалист.

4. По заголовку текста определите, о чем может быть этот текст.
5. Найдите в тексте слова со значением *красивый*.
6. Найдите в тексте фразу, описывающую состояние героя.
7. Прочитайте текст за 30 секунд и сформулируйте тему этого текста (о чем он).
8. Прочитайте два текста, определите, в чем сходство и в чем различие позиций авторов.
9. Объясните значения слов, встречающихся в тексте: *юбилейный, поздравительный*.

ПИСЬМО

⇗ ДАВАЙТЕ ОБСУДИМ:

1. *Надо ли учить писать письменные русские буквы? Многие учащиеся пишут и на родном языке печатными буквами.*
2. *Что значит «человек умеет писать на иностранном языке»?*
3. *Что могут писать учащиеся на иностранном языке в реальной жизни? Какие жанры письма нужны на начальном, среднем, продвинутом этапах обучения?*
4. *Какие требования к письму надо предъявлять?*
5. *Как контролировать и оценивать письменные работы?*

СООТНОШЕНИЕ ПИСЬМА С ДРУГИМИ ВИДАМИ РЕЧЕВОЙ ДЕЯТЕЛЬНОСТИ

Говорение и письмо — продуктивные виды в отличие от слушания и чтения, являющихся репродуктивными видами деятельности. Что объединяет говорение и письмо и чем они отличаются (см. табл. 13)?

Таблица 13

Соотношение письма и говорения

Говорение	Письмо
1. В обычной жизни каждый нормальный ребенок начинает говорить, но не умеет писать	Человека надо учить писать
2. В устном языке существует множество стилистических вариантов	Письменная речь требует знания стандартной грамматики, словаря
3. Говорящий, чтобы быть понятым, использует голос, жесты, ситуативный контекст	Пишущий использует только слова, фразы
4. Говорящий использует паузы и интонацию	Пишущий использует пунктуацию, логическую последовательность фраз
5. Речь обычно спонтанна	Письмо требует времени и планирования
6. У говорящего есть слушатель, реакцию которого он видит. Ответ обычно устный, дается в момент разговора	Ответ на письменную речь приходит после периода ожидания или совсем не приходит. Ответ может быть письменный или устный
7. Устная речь допускает повторения, сокращения, быстрые переходы с темы на тему	Письменная речь должна быть логически организованной, в ней избегают повторений
8. Устная речь состоит, как правило, из простых предложений или неполных	В письменной речи, как правило, синтаксис часто более сложный, чем в устной

ЧТО ТАКОЕ ПИСЬМО

Письмо — это продуктивный вид письменной речевой деятельности, в результате которой мы добиваемся своей цели, воздействуя на собеседника (см. табл. 14).

Механизм порождения письма

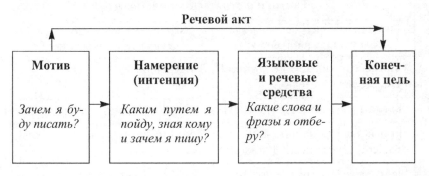

Элементы письма

Таблица 14

Тактики и стратегии пишущего

Задачи, которые необходимо выполнить пишущему	Что надо знать пишущему для выполнения задач
Определить вид текста, который он адресует читателю	Типы, виды и жанры текста
Донести до читателя свою мысль	Логическую организацию текста
Воздействовать на читателя, убедить его, удержать его внимание	Приемы аргументации, убеждения
Заинтересовать читателя. Вызвать нужную (зависящую от цели пишущего) конечную реакцию читателя	Кому адресуется текст? Воздействовать на адресата. Порядок слов в русском языке, структуры фраз и минитекста

Что значит «уметь писать» на иностранном языке? Какие умения должны быть развиты (см. табл. 15)?

Таблица 15

Умения, необходимые для письма

Умения	Способы, развивающие умения
1. *Технические.* Графические, пунктуационные, орфографические. Соотнесение графического рисунка слова со значением	Написание букв, написание слов и фраз. Расстановка знаков препинания
2. *Языковые.* Знание графической системы, грамматических структур, словообразования, лексики	Анализ слов и форм. Заучивание написания. Диктанты, изложения
3. *Речевые.* Умения пользоваться речевыми моделями, типичными для письменных видов текста	Многократное написание текстов с использованием речевых моделей
4. *Коммуникативные.* Соотношение цели написания с отбором фраз (от смысла к фразе)	Самостоятельное изложение мыслей в различных типах и жанрах текста

Исходные способности, нужные для письма

- Зрительная и моторная память.
- Внимание.
- Логическое мышление.
- Воображение.
- Догадка, прогнозирование.

Предварительная проверка способностей учащихся, помогающих обучению письму

1. *Краткосрочная зрительная память, внимание.* Прочтите слова, закройте их и по памяти напишите.

2. *Долгосрочная зрительная и моторная память.* Диктант.

3. *Воображение, мышление.* Дается 3—5 слов: напишите сочинение, используя эти слова.

4. *Догадка, прогнозирование, память.* Даются слова с пропущенными буквами и фразы с пропущенными словами — надо их вписать.

5. *Логическое мышление.* Составьте план будущего текста.

ОБУЧЕНИЕ ПИСЬМУ

1. Цели обучения письму

Можно выделить три основные цели обучения письму:

- *Прагматическая.* Написать письмо, заявление и т. д.
- *Педагогическая.* Письменная речь служит для повторения слов, закрепления и развития грамматических навыков, для разнообразия видов деятельности на уроках и в домашних заданиях.
- *Академическая.* Для образованного человека письменная речь такая же неотъемлемая часть его жизни, как и чтение.

2. Подходы к обучению письму

Можно выделить следующие подходы к обучению письменной речи:

- *Грамматический.* Студенты сначала работают с предложением, потом с рядом предложений, потом с абзацами. Они задают вопросы, соединяют предложения, заполняют пропуски. Ошибок мало, так как работа эта механическая. На продвинутом этапе пишутся сочинения и письменно высказываются мнения.

• *Свободный.* Главное внимание уделяется количеству, а не качеству письменной речи. Задаются сочинения на свободную или заданную тему. Исправление ошибок минимально, форма не существенна. Главное — вызвать интерес и желание писать.

• *По моделям.* Главной чертой этого подхода является организация письма. Студентам даются образцы писем, даются отдельные предложения. Затем им следует сделать из них абзац, добавить или исключить ненужные предложения.

• *Коммуникативный.* Требует четкого понимания того, зачем, кому, для кого мы пишем, т. е. нужно хорошо представлять себе адресата.

• *Процессуальный.* Уделяется больше внимания процессу написания письма, чем продукту письменной речи. Часто процесс начинается с интеллектуального поиска, в котором участвует вся группа: что вы напишите, какие фразы приведете, как начнете, как кончите? Началу письма предшествует обсуждение в группах, завершающим этапом является редактирование писем друг друга. Черновик обсуждается и комментируется, но ошибки не исправляются.

НЕДОЧЕТЫ В РАБОТЕ НАД ПИСЬМОМ

1. Достаточно распространена ошибка, что выполнение письменных грамматических упражнений формирует навыки письма. Увы! Это не так. Письмо, как и три других вида речевой деятельности, требует самостоятельной **творческой деятельности учащихся**.

2. На начальном этапе обучения последнее время считается ненужным обращать внимание на почерк студента, в результате на старших курсах иногда нельзя понять, что пишет студент.

3. Мало практикуются диктанты, проверяющие, как студенты запоминают написание слов и фраз, в результате — большое количество орфографических ошибок.

4. В контрольные работы и экзамены не всегда включается контроль этого самостоятельного вида деятельности.

РЕКОМЕНДАЦИИ ПО РАБОТЕ НАД РАЗВИТИЕМ НАВЫКОВ ПИСЬМА

1. Определить приоритетные жанры письменной речи и раз в неделю предлагать различные виды письменных заданий. Это может быть обмен письмами: студенты пишут друг другу или преподавателю; дневник недели и т. п.

Можно рекомендовать:

• в конце недели (раз в две недели) студенты пишут преподавателю письмо (тема свободная), он отвечает им письменно;

• раз в две недели студенты пишут письмо «в редакцию». «Редакция» — 2—3 студента, они собирают письма, прочитывают и пишут «Обзор писем» (прочитывается все в аудитории по решению группы).

2. Обязательно включать в контрольные работы и экзамены самостоятельное творческое написание текста в том жанре, который изучен студентами. В критерии оценки включают правильность написания слов (орфография), а на продвинутом этапе — и пунктуацию.

3. Можно проводить конкурсы сочинений на заданную тему.

ВИДЫ РАБОТЫ НАД ПИСЬМОМ

Можно рекомендовать следующие виды работы над письмом в аудитории.

1. Коллективное письмо.

2. Совместное письмо (пары/группы).

3. Письмо за определенное время (время засекается).

4. Индивидуальное письмо: обмен письмами, записка преподавателю.

5. Письмо в устной форме (обсуждение письма).

6. Соединение простых предложений в одно сложное предложение.

7. Использование картинок при обучении письму:

а) описание. Студенты записывают слова, которые нужны для описания картинки. Вспоминают слова типа *рядом с*, *справа от* и т. д. После этого картинка стирается с доски, и студенты описывают картинку по памяти;

б) описание, контраст и сравнение. Выполнив первое задание, учащиеся (по парам) сравнивают свои описания и решают, кто запомнил картинку лучше и т. д.

8. Составление текста по карточкам. На каждой карточке одно предложение из текста. Учащиеся должны последовательно сложить фразы, добавить недостающие.

9. Дописывание конца текста. Студентам предлагается начало описания, они должны продолжить текст.

10. Описание. Студенты должны описать свою комнату в письме к учащемуся, который будет жить у них в доме, когда приедет по обмену.

11. Ролевая игра:

а) составление рекламы. Студенты должны написать рекламу (или письмо) и описать удобства комнаты летнего лагеря.

б) описание дома. Студенты смотрят на план комнат и обсуждают (а потом пишут), какие комнаты есть в доме. По группам рисуют план дома.

ОБУЧЕНИЕ ЖАНРАМ ПИСЬМЕННОЙ РЕЧИ

Анкетирование. Составьте список того, что мы пишем в реальной жизни, и отберите из этого списка то, что можно использовать при обучении.

Что вы пишете в жизни?	Что пишут учащиеся?
1.	
2.	
3.	
4.	
5.	
6.	
7.	
8.	
9.	
10.	

Цель коммуникативного обучения состоит в том, чтобы учебное письмо приблизить к потребностям реальной жизни. Обратите внимание, как сделать учебное задание коммуникативным.

Учебное задание	Коммуникативное задание	
	начальный уровень	**средний уровень**
Напишите о себе	Заполните анкету: Имя _____ Фамилия _____ Год рождения _____ Место рождения _____	1. Вы хотите поехать в Россию. Напишите автобиографию в университет России 2. Студент из России, из Новосибирска, хочет с вами переписываться. В своем письме к вам он просит вас рассказать о себе
Напишите о погоде	Заполните дневник погоды, который часто ведут учащиеся в России Пн._____ Вт. _____ Ср._____	1. Сделайте рекламу своего города для туристов 2. Напишите статью в детскую энциклопедию о погоде в своей стране

Попробуйте сами сформулировать коммуникативное задание на следующие темы.

Учебное задание	Коммуникативное задание	
	начальный уровень	**средний уровень**
Мой дом		
Мои занятия		
Покупки		
Отдых		

ИСПРАВЛЕНИЕ ОШИБОК

Учащийся сдает письменное сочинение, а преподаватель его проверяет, подчеркивая и исправляя ошибки. Какая цель при этом преследуется?

Возможные ответы:

• Обучаю правильному письму.

• Обращаю внимание учащегося на то, что он не усвоил все правила.

• Когда преподаватель исправляет в сочинении грамматические ошибки, он просто облегчает себе жизнь. Легче исправить ошибки, чем объяснить учащемуся, как изложить свои мысли на бумаге. Те письменные работы, которые сдают нам как «законченные» сочинения, на самом деле являются черновиком, над которым только надо начинать работать. Вместо этого мы ставим за него отметку.

• Исправление грамматических ошибок не ведет к улучшению навыков письма.

• Студенты не обращают внимания на наши исправления грамматики и орфографии, но с интересом выслушивают замечания о содержании и организации.

• Сочинения доставят нам удовольствие, если мы будем игнорировать ошибки.

Что вы думаете по этому поводу?

Практика преподавателя

✓ **Задание 1.** *Для какого этапа обучения важны приводимые типы письма?*

Личные записи	Официальное письмо	Творческое письмо
1. Дневник 2. Запись для памяти 3. Адреса 4. Рецепты и т. д.	1. Письма, телеграммы 2. Заполнение бланков, анкет и т. д. 3. Заявление и т. д.	1. Рассказы 2. Повести, романы 3. Песни 4. Стихи 5. Автобиография и т. д.

Личная переписка	Учебные задания	Деловые документы
1. Письма 2. Записки 3. Телеграммы	1. Конспекты 2. Резюме 3. Доклады 4. Рефераты и т. д.	1. Протоколы 2. Отчеты 3. Контракты 4. Деловые письма 5. Объявления 6. Реклама и т. д.

✓ **Задание 2.** *С какой целью, по вашему мнению, рекомендуются следующие упражнения при обучении письму? Какие навыки и умения они развивают?*

1. ПРОПИСНАЯ БУКВА

● Какие из следующих слов надо писать с прописной буквы (заглавной): *россия, русский, английский язык, я, вы.*

● Расставьте точки и поставьте прописные буквы (дается текст без строчек и прописных букв).

2. ВСТАВКА

● Вставьте пропущенные слова.

● Закончите фразу.

● Начните фразу.

3. ТРАНСФОРМАЦИЯ

● Допишите абзац (дается начало абзаца).

● Расширьте фразу или сократите фразу (абзац) текста.

● Замените предложения синонимическими конструкциями.

● Дайте все возможные варианты предложения.

● Соедините несколько предложений в одно.

4. РАЗЛИЧНЫЕ ТИПЫ ИЗЛОЖЕНИЙ

● Придумайте конец изложения (творческое задание).

● Составьте изложение от лица разных действующих лиц.

● Составьте изложение в различной модальности (*Если бы...*).

5. СОЧИНЕНИЯ

● Напишите сочинения на заданную тему.

● Напишите сочинения на вольную тему.

6. ТЕКСТЫ РАЗЛИЧНЫХ ЖАНРОВ

- Ответьте на письмо.
- Напишите записку.
- Напишите письмо.
- Составьте обзор новостей.
- Придумайте объявление.
- Придумайте поздравительную открытку.

7. РАССКАЗЫ ПО КАРТИНКАМ

8. ТРАНСФОРМАЦИЯ ОДНИХ ВИДОВ РЕЧИ В ДРУГИЕ

- Послушайте разговор (на пленке) и напишите записку одному из участников этого разговора, выразив собственное мнение на тему услышанного разговора.
- Вы получили письмо. Расскажите об этом своим друзьям.
- Два человека получили разные письма от одного друга. Расскажите о них друг другу. Сравните информацию.

✓ *Задание 3.*

1. Дайте два примера письменного задания для разных уровней письменной компетенции.
2. Составьте письменное коммуникативное задание контрольной работы (экзамена) для своих студентов на материале вашего учебника.
3. Составьте письменное задание с использованием картинок.

Раздел 4
СТРУКТУРА ЯЗЫКА

◆ ОБУЧЕНИЕ ГРАММАТИКЕ
◆ ОБУЧЕНИЕ ЛЕКСИКЕ
◆ ОБУЧЕНИЕ ФОНЕТИКЕ

ОБУЧЕНИЕ ГРАММАТИКЕ

ДАВАЙТЕ ОБСУДИМ:

1. *Известно, что учащимся, изучающим в основном грамматические формы, трудно начать говорить. Как сделать так, чтобы избежать таких трудностей?*
2. *Можно ли разрешить учащимся говорить с грамматическими ошибками на уроке?*
3. *Какое место должна занимать грамматика на уроке? Все ли грамматические явления надо объяснять учащимся?*
4. *Какой грамматический минимум русской грамматики необходимо изучить в период начального обучения?*
5. *Какие типы упражнений можно использовать при обучении грамматике?*
6. *Что такое регулярные и нерегулярные грамматические формы? Есть ли разница в работе с ними?*
7. *Что такое «сквозная грамматическая тема»? Какие «сквозные темы» существуют?*

Проблемы обучения грамматике и их решения

Проблема	Решение проблемы
1. Отбор материала: а) что отбирать б) сколько отбирать	Определяется: а) целями обучения; б) уровнями владения языком; в) коммуникативной и структурной значимостью явлений
2. Последовательность расположения материала	От легких явлений к трудным От того, что совпадает с родным языком, к тому, что расходится Раньше вводить коммуникативно частотные От регулярных форм к нерегулярным
3. Дозировка материала	Одна трудность на один урок
4. Подача материала	От смысла к форме. От текста к явлению (коммуникативный подход) От формы к смыслу. От отдельной формы к целому тексту (структурный подход)
5. Объяснение материала	Частное явление объясняется на фоне общей картины Частные явления сменяют друг друга, накапливаются, не обобщаясь Все явления объясняются Часть явлений вводится без объяснения, «лексически»
6. Последовательность работы	Показать явление в тексте (от смысла к форме) — коммуникативный подход Объяснить явление На примерах добиться понимания явления (языковая компетенция) Проверить наличие языковой компетенции Тренировать форму в речи: автоматизация (речевая компетенция) Проверить речевую компетенцию Подвести студентов к самостоятельному использованию формы в коммуникации (коммуникативная компетенция)

ОСНОВНЫЕ НЕДОЧЕТЫ В РАБОТЕ НАД ГРАММАТИКОЙ

1. Преподаватель слишком *долго и подробно объясняет* явление, не умея сконцентрировать внимание на главном.

2. Недостаточно привлекаются студенты к анализу явления.

3. Все явления преподаватель *объясняет сразу*. Отвечает на все вопросы студентов, не предлагая студентам повременить с тем или другим объяснением (избыточные сведения).

4. *Опережается объяснение формы*, если она вдруг стихийно появилась в речи. Например, студент хочет сказать: *Я с другом*, не зная еще творительного падежа. Преподаватель вместо того, чтобы дать синоним: *Я и друг*, начинает объяснять творительный падеж, отступая от плана (опережающее объяснение).

5. Объяснив явление, преподаватель без достаточной тренировки начинает его контролировать (*ранний контроль*).

6. Контроль ведется на речевом уровне, а студенты усвоили явление на языковом уровне (еще нет нужного автоматизма, поэтому *умения и контроль не совпадают*).

7. Преподаватель, работая над грамматикой, *не вырабатывает три компетенции* (языковая, речевая, коммуникативная), останавливаясь чаще всего на языковой или, реже, на речевой, но не выводит студентов в коммуникацию. В результате в самостоятельной деятельности студентов появляется много ошибок, которые преподаватель оценивает как незнание материала и часто опять начинает объяснять и тренировать явление на языковом уровне, что, как известно, само по себе не перейдет на коммуникативный уровень.

8. Мало учитываются *разные типы учащихся*, что требует разных видов объяснения и тренировки. Например, аналитический тип учащихся лучше запоминает материал в таблицах, обобщениях, правилах, а коммуникативный тип — в многократном употреблении. Не используются различные тактики и стратегии, способствующие усвоению явления.

РЕКОМЕНДАЦИИ ПО РАБОТЕ НАД ГРАММАТИКОЙ

Работая над русской грамматикой, следует обратить внимание на следующие моменты.

1. Прежде чем объяснять, как образуется форма грамматического явления, надо обратить внимание на его значение, т. е. *идти от значения (смысла) к форме*. Например, сначала сообщить, что фраза

У меня нет книги, означает отрицание наличия чего-либо. Затем говорить, как это выражается.

От смысла → к форме → опять к смыслу.

2. Работая над падежами, рекомендуется обратить *внимание студентов на глагольное управление*. Хорошо, когда студенты ведут тетради с записью глаголов:

смотреть — посмотреть — что? (книгу, фильм)

Позже в эту запись могут быть включены вопросы: *на что? на кого? (куда?)*.

3. Работая над падежной системой, хорошо приучить студентов к тому, чтобы они *задавали вопросы* к каждой падежной форме.

*Он смотрит **на преподавателя.***
Куда он смотрит?
На кого он смотрит?

Полезно включать в диалоги переспросы («Мы не расслышали»):

— *Он смотрит на преподавателя.*
— *Куда он смотрит?*
— *На кого он смотрит?*
— *На преподавателя.*
— *А! Он смотрит на преподавателя.*

4. Необходимо постоянно работать *с текстом, с фразой*, а не с отдельным словом или словосочетанием.

5. Не забывать работать над *словообразованием* (хотя, к сожалению, эта тема часто отсутствует в учебнике), надо учить студентов видеть морфологический состав слов. Это значительно расширит пассивный словарь студента.

6. Работу над формой надо проводить до тех пор, пока студенты не научатся употреблять ее в общении, и контролировать правильность использования формы в трех видах компетенции: язык — речь — коммуникация.

7. Не забывать, что все популярные упражнения с *подстановкой* формы и с переводом — это контроль только *языковой* компетенции!

8. Шире использовать различные тактики и стратегии обучения. Больше привлекать студентов к объяснению нового материала и самостоятельной формулировке правила.

9. Дать возможность студенту высказать свою мысль, не исправляя поминутно его грамматические ошибки. **Студент имеет право ошибаться!**

ГРАММАТИЧЕСКАЯ СТРУКТУРА

Известно, что в разных методах по-разному определялось место грамматики в обучении языку. В одних (как переводно-грамматический) ей отводилось главное место, требовалось заучивание правила и постоянная тренировка форм, в других (прямых, например) считалось, что акцент должен быть перенесен на употребление речевых образцов, а грамматическим явлениям отводилось второе место: правила не надо учить, достаточно практиковаться по речевым образцам.

Как же современная методика относится к данной проблеме?

Во-первых, роль грамматики не занижается, но и не преувеличивается.

Во-вторых, к грамматическим явлениям подходят с позиции понимания триединой сущности языка: язык — речь — коммуникация. Отсюда вытекает анализ грамматических явлений с позиции структуры, функционирования в речевых образцах и реализации в тексте. Обучение грамматике ведется с учетом трех видов компетенции: лингвистической (понимание, анализ, знание грамматического явления), речевой (умение воспринимать и употреблять речевые образцы, насыщенные определенной грамматической формой) и коммуникативной (умение воспринимать и создавать тексты, используя данную грамматическую категорию).

ОБУЧЕНИЕ ГРАММАТИКЕ

1. В современной методике обучение грамматическому явлению начинается с работы над текстом, содержащим данную грамматическую форму. Сначала студент воспринимает *смысл* текста, затем от смысла переходит к грамматической форме.

Грамматическая категория объясняется преподавателем в ее структурном выражении и в ее функционировании в речи (формируется *лингвистическая* компетенция).

Контролируются знания данной категории (*лингвистическая* компетенция).

Грамматическое явление многократно тренируется в речевом употреблении. Формируется *речевая компетенция*, которая контролируется в ситуативных упражнениях.

Студентам предлагаются виды самостоятельной деятельности, требующие использования данного явления — *коммуникативная компетенция*. Использование данного грамматического явления в тексте, самостоятельно составленного студентом, — это оценка коммуникативной компетенции учащегося.

2. *Образец работы* (на примере винительного падежа прямого объекта неодушевленных существительных на начальном этапе).

Известно, что винительный падеж прямого объекта дается одним из первых (чаще всего после предложного падежа места).

Формирование языковой компетенции

1. Чтение (прослушивание) текста с использованием изучаемой формы. Преподаватель обращает внимание на данную форму. Например, модель: *Студент читал книгу.*

2. Студенты вспоминают уже знакомые им модели типа:

Кто это? Студент. Что делал студент? Он читал.
Студент читал (читает, будет читать).
Студентка читала (читает, будет читать).

- К этому времени студенты уже должны знать и употреблять в речи какое-то количество переходных глаголов, например: *писать, читать, знать, слушать, учить.*

- Они должны знать и употреблять формы этих глаголов. Достаточно, если они освоили только формы прошедшего или сложного будущего времени. Главное, чтобы эти формы уже были автоматизированы.

- Они должны знать неодушевленные существительные и, главное, *четко* ориентироваться в их родовых формах.

3. Преподаватель обращает внимание студентов на третий элемент в структуре.

- Преподаватель произносит трехчленные однотипные структуры (все слова студентам известны) с винительным падежом мужского рода:

Она читала журнал.   *Я смотрела телевизор.*
Он читал текст.   *Вы слушали текст.*

- Студенты слушают, повторяют за преподавателем (можно использовать картинку).
- Преподаватель просит студентов сделать вывод о значении третьего элемента — это объект, это существительное мужского рода, форма совпадает с начальной.
- Затем преподаватель дает примеры со словами среднего рода:

Он писал письмо.

Они слушали радио.

Снова студенты анализируют третий член и делают выводы.

- Наконец, даются формы женского рода:

Мы читали газету.

Они слушали музыку.

Я читала книгу.

Снова анализ и выводы. Студенты сами могут вывести правило образования винительного падежа женского рода.

- Обобщение формы в таблице (можно просить студентов заполнить таблицу). Можно записать образец фразы, перевести на родной язык.

4. Следующий шаг — на какой вопрос отвечает третий член.

Мы читали книгу и журнал.

Что *вы читали?*

Что — вопрос к объекту, который выражен неодушевленным существительным.

5. Первичное закрепление — многократное употребление формы (можно с использованием рисунков).

Что вы $\left\{ \begin{array}{l} \textit{читали?} \\ \textit{смотрели?} \\ \textit{слушали?} \end{array} \right.$

Преподаватель внимательно следит за правильностью фраз. Ошибки студентов, как правило, появляются из-за неточного знания рода существительных.

6. Преподаватель, убедившись в том, что студенты поняли явление, обращает внимание на переходные глаголы:

$\left. \begin{array}{l} \textit{читать,} \\ \textit{смотреть} \end{array} \right\} \textit{(+ что?),}$

но: *учиться* — непереходный.

7. *Контроль понимания* формы. Даются упражнения на подстановку формы типа «раскройте скобки», «переведите фразы».

Формирование речевой компетенции

1. *Тренировка в речи* — многочисленные вопросы.

Я читала книгу, а вы?

Вы читали книгу или журнал?

Что вы $\begin{cases} \textit{читали?} \\ \textit{слушали?} \\ \textit{смотрели?} \end{cases}$

2. Присоединитесь к мнению.

— *Я читала книгу.*

— *Я тоже читал книгу.*

3. Скажите противоположное.

— *Я читала книгу.*

— *А я смотрел фильм.*

4. По образцу составьте диалог.

5. «Снежный ком».

— *Я читала книгу.*

— *Она читала книгу, а я смотрела фильм...*

6. Ситуации. Вы в магазине просите показать вещи.

М о д е л ь: — *Дайте, пожалуйста, ...*

7. *Контроль* употребления винительного падежа в речи (устно и письменно).

• Разыграйте ситуацию «В магазине». Вы просите продавца *дать* вам вещи.

М о д е л ь: — *Дайте, пожалуйста, ...*

• Ответьте на вопросы.

О б р а з е ц: — *Что студенты учат в университете?*
               — *Студенты учат математику...*

Формирование и контроль коммуникативной компетенции

Разыгрывание ситуаций, требующих самостоятельной деятельности учащихся.

1. Спросите друг друга и запишите, что надо купить в магазине (продукты, вещи) или что он (она) купил(а) на этой неделе и т. п. Затем расскажите об этом всем.

2. Расскажите (напишите), что вы читали (писали, слушали, учили) на прошлой неделе.

ТИПЫ ГРАММАТИЧЕСКИХ УПРАЖНЕНИЙ

I. Языковые

1. Просклоняйте существительное, проспрягайте глагол и т. п.

2. Допишите окончания, пропущенные в тексте.

3. Выберите из скобок нужную форму.

4. Переведите слова текста, данные в скобках, и поставьте в нужной форме.

5. Соберите фразу, разрезанную на части.

6. Соберите фразу из слов таблицы.

Я Он Мы	хочешь необходимо	есть пить рыба

7. Поставьте вместо точек слова.

Вчера я ...л ...у

8. Продолжите фразу, поставив слова во всех возможных падежах.

9. Поставьте, где необходимо, слова: *зима, лето, осень, весна* и *зимой, летом, весной, осенью.*

Сейчас ... — ... я люблю кататься на лыжах и коньках.

　　(что?) (когда?)

10. Соберите фразу.

мне	*надо*	*прочитать книгу*
тебе	*нужно*	*пойти в кино*
ему		*сделать упражнения*
я	*хочу*	*позвонить папе и маме*
мы	*хотим*	

11. Соберите фразу, поставив слова в нужной форме.

я	*надо*	*пойти в кино*
ты	*должен(на, ны)*	*посмотреть спектакль*
мы		
вы		
он		

12. Трансформируйте фразу.

Когда он вошел в комнату, он увидел друга. Войдя в комнату, он увидел друга.

13. Напишите фразу по образцу.

14. Прочтите пример и объясните употребление формы.

15. Присоединитесь к данному действию.

— *Я иду в кино.*
— *Я тоже иду в кино.*

16. Укажите на противоположное действие.

— *Я иду в кино.*
— *А я иду в театр.*

II. Тренировочные речевые упражнения

1. «*Снежный ком*» — многократное повторение по цепочке.

2. Повторение фраз и форм с различными заданиями, *вариантные ситуации.*

3. *Работа с карточками.*

4. *Грамматические игры.*

5. *Продолжение фразы.*

6. *Восстановление ответа* (вопроса).

7. *Пересказ* текста.

8. *Составление диалога по модели.*

9. *Трансформация текста* (переведите из настоящего времени в прошедшее) и др.

III. Коммуникативные упражнения

Это не грамматические задания, хотя они попутно развивают грамматические умения. Их первоочередная цель — развитие коммуникативных умений.

1. *Вы в России, хотите отправиться путешествовать. Решите, какие страны и города вы хотите посетить.*

2. *Позвоните и закажите билеты.*

3. *Закажите гостиницу.*

4. *Составьте список (максимум и минимум) вещей, которые возьмете с собой.*

5. *Закажите такси или договоритесь с другом, который может отвезти вас в аэропорт.*

6. *Позвоните друзьям и расскажите, как вы собираетесь путешествовать.*

ОБЪЯСНЕНИЕ ГРАММАТИКИ

1. *Лекционная форма.* Рекомендуется для объяснения общих категорий. Может быть рекомендована студентам аналитического типа, меньше рекомендуется школьникам.

Преподаватель объясняет явление, дает примеры.

Студенты читают на родном языке объяснение явления, выполняют упражнения.

2. *Объяснение с развитием догадки.* Преподаватель предлагает таблицы, а правило выводят сами студенты. Например, в тексте встретился предложный падеж места:

Я живу в Москве.

Преподаватель обращает внимание студентов на него, предлагает им таблицу и просит сформулировать правило:

Я живу { *в Москве.*
в Америке.
в Вашингтоне.
в Петербурге.

Студенты выводят правило, что место обозначается предлогом *в* + окончание *-е* существительных. Преподаватель формулирует правило и сообщает, что *-е* — это окончание предложного падежа существительных.

Подобное объяснение рекомендуется там, где студенты могут увидеть регулярность формы. Его преимущества:

а) развивает догадку;

б) развивает аналитическое мышление;

в) способствует запоминанию.

3. *Лексический ввод.* Явление вводится без объяснения. Студентов просят запомнить форму как идиоматическое выражение. Так, запоминается на первых уроках фраза:

— *Как вас зовут?*   — *Меня зовут...*

Как правило, многие грамматические явления такого типа будут позже объясняться, но вначале эти коммуникативные фразы просто запоминаются.

Итак, как вводить грамматику?

1. Выделение правила.

2. Объяснение структурное или функциональное.

3. Дедуктивное или индуктивное введение грамматики:

а) дедуктивное — преподаватель объясняет правило и тренирует его с аудиторией;

б) индуктивное — учащиеся сами «открывают» правило.

4. Язык объяснения (родной или изучаемый).

5. Кем дается объяснение: преподавателем, учащимися, описание в книге, таблица, комбинация нескольких возможностей.

6. Как дается объяснение: устно, на доске, из книги, по таблице.

КОНТРОЛЬНЫЕ РАБОТЫ ПО ГРАММАТИКЕ

Контрольные работы по грамматике проверяют степень формирования у студентов трех видов компетенции.

• Проверка *языковой компетенции*: понимание явления и умений образовать нужную форму.

1. *Просклоняйте* (проспрягайте) слово — проверка знания формы.

2. *Заполните пропуски* (напишите нужную форму). Например:

делать	*писать*
я...	*вы пишете*
ты...	*мы...*
они делают	*они...*

3. *Соберите фразу*, разрезанную на части («лом»). Проверка знания сочетаемости слов.

4. *Замените* причастный оборот придаточным предложением:

Читающий мальчик — наш ученик.

Мальчик, который читает, наш ученик.

5. Напишите, *чего у вас нет.*

У меня есть карандаш. — У меня нет карандаша.

У меня есть ручка. —

У меня есть книга. —

• Проверка *речевой компетенции*.

1. Напишите ответы, использовав слова в скобках.

— *Куда вы поедете?*

— *... (Москва, Париж, Вашингтон).*

2. *Прочитайте* фразы. Напишите их, заменив настоящее время на будущее простое.

Миша читает книгу. — Миша прочитает книгу.

3. Прочитайте текст:

а) коротко *перескажите* его содержание (пересказ);

б) перескажите этот текст от первого лица (если текст написан от третьего лица).

- Проверка *коммуникативной компетенции*.

1. Прочитайте письмо. Ответьте на него.

2. Составьте план вашего путешествия по Европе (если бы вы решили путешествовать).

3. Напишите объявление в газету о том, что вы хотите продать вещи.

НЕКОТОРЫЕ ПРОБЛЕМЫ ОТБОРА ГРАММАТИКИ НА НАЧАЛЬНОМ И СРЕДНЕМ ЭТАПАХ ОБУЧЕНИЯ

В современной методике *главным принципом* отбора грамматики является *коммуникативная оправданность формы*, т. е. отбор и введение материала тогда, когда в нем есть коммуникативная потребность, когда созданы условия для его использования в общении.

Очень часто можно наблюдать избыточность коммуникативно неоправданных форм. Например, уже в самом начале изучения языка вводятся и тренируются все шесть форм местоимений, спряжений глаголов, в то время как учащемуся для общения достаточно только трех: **я**, **ты** и **вы**.

С нашей точки зрения, для устных форм речи в первую очередь должны отрабатываться такие пары:

У вас/тебя есть...	*Да, у меня есть...*
	Нет, у меня нет...
Вы/ты сделали (сделал, сделала)	*Да, я сделал(а)...*
	Нет, я не сделал(а)...
Сколько вам/тебе лет?	*Мне...*
Как вас/тебя зовут?	*Меня зовут...*

Все остальные формы — **она** *(у нее, ее)*, **он** *(ему, у него)*, **они, мы** и т. д. — являются вначале избыточными для выработки коммуникативных умений и лишь затрудняют выход в говорение. Конечно, они оправданы структурно, т. е. демонстрируют стройность языковой системы. Поэтому их, во-первых, можно ввести для понимания структуры, но оттренировывать в разговорной речи несколько позже форм 1-го и 2-го лица. Во-вторых, их можно больше отрабатывать в письменной, а не в устной речи, поскольку для устной речи важнее 1-е и 2-е лицо.

Коммуникативно оправданным является предъявление некоторых грамматические форм «лексически», т. е. формы заучиваются как отдельные слова без грамматического толкования и объяснения парадигмы. Именно так вводят фразы:

Как вас зовут? Меня зовут...

⫸ Вывод

Первым критерием отбора является его коммуникативная оправданность. Вторым — цикличность распределения материала, его отбор для определенного этапа обучения.

Вначале дается базовая грамматика, наиболее частотные формы и грамматические значения, например, сначала вводится предложный падеж места с предлогом *в*: *Где вы живете? Я живу в Москве.* А позже дается предложный падеж с предлогом *о*: *О ком вы думаете? Я думаю о друге.*

Известно, например, что деепричастия и причастия не частотны, они почти не встречаются в устной речи, поэтому они должны отрабатываться в формах письменной речи.

Третий принцип — конструктивная и деструктивная **интерференция**. Вводятся вначале такие формы, которые совпадают в родном и изучаемом языках, а затем показывается различие, несовпадение форм, которые могут влиять негативно на чистоту речи.

Практика преподавателя (анализ учебника)

✓ *Задание 1. С какой целью даются в учебнике такие грамматические задания?*

1. Прочитайте фразы и скажите, что вам надо сделать что-то другое.

М о д е л ь: — *Мне надо идти в кино.*
　　　　　　 — *А мне нельзя идти в кино, мне надо заниматься.*

2. Допишите окончания.

Вчера Олег целый день занима... Он учи... физик... , хими... , литератур... .

Он люби... заниматься физик... и хими... .

3. Трансформируйте фразы.

М о д е л ь: *Я занимаюсь, потому что я хочу хорошо сдать экзамены.*
　　　　　　 Хочу хорошо сдать экзамены, поэтому занимаюсь.

4. Продолжите фразу, используя слова в таблице (упражнение на предлоги).

а) *Я буду ...*

город	суббота	вечер
стадион	пятница	утро
школа	вторник	день

б) *Я провел(а) каникулы ...*

Москва	друзья	1986
Европа	родители	1988
море	бабушка	1990

5. Сравните (упражнения на сравнительную и превосходную степень):

а) кто больше ...

лев   змея   собака   кошка
рыба   человек мышь

б) какой транспорт едет (летит) быстрее

машина   поезд   самолет   лодка
лошадь   велосипед   космический корабль

6. Ситуации (упражнения на прошедшее и будущее время):

а) *У двух учеников свои планы, но они должны решить, когда они могут встретиться.*

б) *Один говорит с другом по телефону, какие у него дела, а другой должен записать.*

7. Какие ситуации с использованием этой таблицы вы можете предложить?

Время	Вторник	Пятница	Воскресенье
7.00—9.00	встать	встать	спать
9.00—11.00	французский язык	история	встать
11.00—13.00	математика	пение	теннис

✓ **Задание 2.** *Проанализируйте упражнение, постарайтесь найти ответы на следующие вопросы.*

1. Какая стадия формирования грамматического навыка отрабатывается в упражнении: восприятие структуры (путем презентации), формирование механизма аналогии (путем имитации), формирование навыка оформления (подстановка, трансформация)?

2. Можно ли считать предлагаемое задание адекватным поставленной задаче?

3. Почему авторы предлагают для выбора слова в соответствующей грамматической форме? Может быть, лучше (проще, эффективнее) было бы дать просто перечень нужных слов в именительном падеже?

Упражнение. Составьте диалоги по образцу, заменяя выделенные слова данными под соответствующим номером в столбцах.

О б р а з е ц: — *Куда вы идете?*
— ***К сестре.*** (1)
— *Вы долго будете **у сестры**?* (2)
— *Нет, не очень.*
— *Что вы будете делать, когда вернетесь **от сестры**?* (3)
— *Еще не знаю.*

1	2	3
к другу	*у друга*	*от друга*
к подруге	*у подруги*	*от подруги*
к врачу	*у врача*	*от врача*
к брату	*у брата*	*от брата*
к директору	*у директора*	*от директора*

✓ *Задание 3. Проанализируйте предложения.*

1. Скажите, как следует исправить ошибки учащихся?

2. В каких случаях причиной ошибки служат:
— неразличение лексического значения глаголов движения;
— неразличение глаголов одно- и разнонаправленного действия;
— неправильное употребление глагольной приставки.

1) *Не бегай, у нас еще много свободного времени.*

2) *В прошлом году мой отец летел на Дальний Восток и привез мне оттуда интересные книги об уникальной природе этого края.*

3) *Директор вышел: сегодня его уже не будет.*

4) *Каждое лето в нашем городе выступают артисты из разных городов: прошлым летом въехал Киевский театр, а в этом году здесь находится Московский театр имени Маяковского.*

5) *Мой друг купил автомобиль «Москвич» и научился его возить. Он часто везет нас на экскурсии по прекрасным окрестностям Москвы.*

6) *Придите ко мне на минутку: мне надо сказать вам несколько слов.*

7) *Женщина ведет в коляске девочку в розовой шапочке.*

8) *Первого сентября дети шли в школу и носили в руках цветы.*

9) *Скажите, какой транспорт едет до ВВЦ, как нам быстрее приехать туда?*

10) *Раньше я каждый год ехал на курорт, а теперь предпочитаю отдыхать в туристском лагере.*

✓ **Задание 4.** *Оцените задание.*

1. Напишите к данным рисункам шесть пар антонимических глаголов. Опишите действия, изображенные на картинке, употребив нужную форму глагола.

М о д е л ь: *входить — выходить*
Кот выходит из дома. — Кот входит в дом.

2. *Чего нет?* Супруги Петровы остановились в очень плохой гостинице. Скажите, чего в ней нет?

М о д е л ь: *В гостинице нет воды.*

Слова для справки: *лифт, ключ, лампа, полотенце, отопление, стул, подушка, вилка, ложка, нож.*

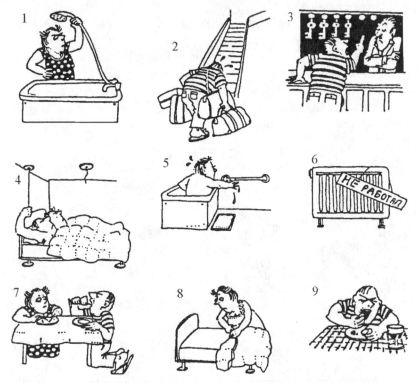

✓ *Задание 5.* Напишите план урока «Выражение места в русском языке» (можете взять в качестве образца предложенную в тексте работу с винительным падежом неодушевленных существительных).

✓ *Задание 6.* Составьте план работы для начального этапа с винительным падежом прямого объекта одушевленных существительных.

— Какие существительные вы отберете?

— Какие глаголы?

— В какой последовательности вы расположите материал, учитывая, что студенты уже знают винительный падеж неодушевленных существительных?

— Дадите ли вы такое сопоставление одушевленных и неодушевленных существительных:

Винительный падеж		
	Неодушевленные существительные	*Одушевленные существительные*
Я вижу	стол ручку	студента студентку

— Введете ли вы одновременно форму множественного числа и форму винительного падежа прилагательных? Почему?
— Какие тренировочные упражнения вы предложите:
    а) чтобы выяснить понимание явления,
    б) для запоминания и автоматизации,
    в) для выхода в самостоятельную речь учащихся?

✓ *Задание 7. Какие упражнения вы подберете для работы с родительным, предложным, дательным, творительным падежом. В какой последовательности вы их будете располагать и почему? Какие значения этих падежей вы дадите в первую очередь?*

ОБУЧЕНИЕ ЛЕКСИКЕ

ДАВАЙТЕ ОБСУДИМ:

1. Как вы учили и запоминали слова иностранного языка? Что вы можете посоветовать своим учащимся?
2. Надо ли учить (заучивать) слова?
3. Сколько надо знать слов, чтобы говорить на иностранном языке?
4. Как и когда надо вводить новые слова?
5. Если студенты не понимают значения слов, что лучше:
    — чтобы они посмотрели в словаре,
    — чтобы учитель объяснил их,
    — чтобы они сами попытались догадаться об их значении?
6. Известно, что слова многозначны. Когда и как надо с этим знакомить учащихся?
7. Что надо делать, чтобы учащиеся не забывали слова?

Проблемы обучения лексике и их решения

Проблема	Решение проблемы
1. Отбор лексики: а) что отбирать; б) сколько отбирать	Определяется: а) целями и уровнями владения языком; б) частотностью и употребительностью; в) ситуативно-тематическим отбором
2. Последовательность расположения материала	От нейтральной лексики к другим ее стилистическим пластам От коммуникативно-частотного употребления к менее частотному
3. Дозировка материала	15—25 слов за полуторачасовой урок
4. Подача материала	От текста к слову. Изучение слов в контексте
5. Объяснение слова	Через толкование Через употребление Через синонимы-антонимы Через перевод
6. Последовательность работы	Показать слово в тексте: а) предложить догадаться, если возможно, о его значении; б) объяснить слово, добиться понимания его значения; в) проверить наличие языковой компетенции; г) тренировать слово в речи (речевая компетенция); д) подвести студента к самостоятельному использованию слова в собственной речи (коммуникативная компетенция)
7. Заучивание слов	Приемы, помогающие запоминанию
8. Контроль слов	

Роль единиц языка на разных уровнях владения языком[1]

Percentage

Словарь	▬▬▬
Грамматика	▬ ▬ ▬
Произношение	••••••
Беглость речи (свобода)	——
Социолингвистика	- - - -

ОСНОВНЫЕ НЕДОЧЕТЫ В РАБОТЕ С ЛЕКСИКОЙ

1. Слишком большой лексический объем, который студенты не успевают усвоить в отведенное время.

2. Недостаточная тренировка лексики на занятиях. Студентам предлагается выучить слова дома, а в аудитории слова уже контролируются. Недостаточная тренировка приводит к быстрому забыванию слов.

3. Подача слов в виде списков, вне контекста, с заданием выучить слова. Такое механическое запоминание слов не развивает способности их употреблять, и слова быстро забываются.

4. Недостаточная работа над словообразованием, помогающая студентам и запоминать слова, и расширять свой пассивный словарь.

¹ Source: *Theodore V.* Higgs and Ray Clifford. «The Push Toward Communication». In Theodore V. Higgs ed., *Curriculum, Competence, and the Foreign Language Teacher.* ACTFL Foreign Langauge Education Series, vol. 13. Lincolnword, Ill., National Textbook, 1982.

5. Недостаточная повторяемость слова в процессе обучения. Одни группы слов сменяют другие, и повторно не возникают в течение всего срока обучения.

6. Слова тренируются на уровне языка и речи, но не всегда выводятся в самостоятельную речь студента.

7. Словарю уделяется меньше времени и внимания, чем грамматике. Исследования же показывают, что на начальном уровне выход в речь осуществляется в первую очередь за счет лексического накопления (см. схему на с. 149).

8. Студенты мало самостоятельно работают со словарем, используя только слова, данные в учебнике, или требуя перевода слов от преподавателя. Это, во-первых, не приучает их к самостоятельной работе, а во-вторых, не дает им возможности увидеть слово в его многозначности.

9. Встречая новое слово, преподаватель спешит его перевести, не предлагая студентам (там, где это возможно) попробовать самим определить значение слова, опираясь на контекст, исходя из состава слова и т. п.

АКТИВНЫЙ И ПАССИВНЫЙ СЛОВАРЬ

Постоянный вопрос при обучении лексике — *сколько слов надо знать студенту на каждом уровне обучения?* Правда, это скорее вопрос, возникающий у авторов учебника. Преподаватель же, идущий за учебником, отвечает на этот вопрос с позиции учебника, предлагая студентам выучить слова, выделенные в каждом уроке. Количество таки слов за полтора часа занятий колеблется от 15 до 20—25 слов активного словаря.

Многие учебники разделяют активный и пассивный словарь, т. е. слова, которые студент заучивает и самостоятельно употребляет в речи (активный словарь), и слова, которые он «узнает» в тексте, но не заучивает и сам не употребляет (пассивный словарь). Пассивный словарь студента пополняется за счет в первую очередь чтения и речи преподавателя. Словарь, отмеченный в учебнике как пассивный, не отрабатывается преподавателем на уроке, не контролируется свободной речью студента, но на него обращается внимание студента при чтении (слушании). Пассивный словарь — это накопление лексики, необходимой для понимания текста при слушании и чтении, так как объем словаря, нужный при слушании, в 2 раза превышает словарь, необходимый для говорения, а словарь, нужный для чтения, в 2—3 раза превышает словарь, необходимый для слушания.

Обычно учебники строятся таким образом, чтобы отрабатывалась, автоматизировалась, выводилась в речь студента активная лексика, а пассивная в основном дается в чтении или в фонетических упражнениях и не тренируется в упражнениях по лексике.

▶ Вывод

Преподаватель обращает внимание на постоянное пополнение пассивного словаря, но не отрабатывает его и не контролирует упражнениями, требующими самостоятельного употребления слов.

Очень важно для формирования пассивного фонда показывать студентам словообразовательные модели — они резко увеличивают возможности понимания текста.

▶ Вывод

Работа над словообразованием — важный момент в обучении языку. Понимание строения слова, умение выводить значение из входящих в слово элементов дает возможность быстро понимать — особенно письменный текст — и грамотно писать.

Второй момент при формировании пассивного фонда — знание разных значений слова, понимание метафоричности, переноса значений. Именно поэтому преподаватель знакомит студентов с различными значениями слова, показывая его многозначность.

Однако в этом надо соблюдать меру, так как перегрузка значениями, особенно на начальном уровне, может привести к ошибочному понимаю слова.

▶ Вывод

Для формирования пассивного словаря важно понимать разные значения слова, что также расширит возможности чтения и слушания.

Сколько же слов необходимо знать активно и пассивно? Считается, что минимально 500 слов достаточно, чтобы построить устное и письменное высказывание из 6—7 фраз, участвовать в диалоге, состоящем из 5—6 реплик, понимать короткое устное высказывание и несложный текст. Кроме того, можно включить в этот список еще 150—200 слов, связанных с конкретными целями и условиями работы каждого отдельного курса.

На основе опыта работы курсов русского языка список может быть расширен до 1200 слов с учетом возрастных или профессиональных интересов учащихся. При этом около 1000 слов из них будут активно употребляться в речи, а около 200 слов составят пассивный запас.

В зависимости от конкретных целей и условий обучения в каждом отдельном курсе меняется значение и соотношение «актива» и «пассива» в общем лексическом запасе учащихся. На курсах общего или туристского типа его можно выразить как 5:1 (1000 слов — активно и 200 слов — пассивно). Для курсов, в которых занимаются чтением специальной литературы и газет оно будет равно 1:1,5 или даже 1:2 (1000 слов — активно и 1500—2000 слов — пассивно). На курсах для деловых людей соотношение «пассива» и «актива» будет приблизительно равно 1:1 (около 1000 слов — активно и 1000 — пассивно).

СПОСОБЫ ТОЛКОВАНИЯ СЛОВ

Введение и дозировка новых слов

Методисты считают, что взрослый человек в течение одного полуторачасового занятия может усвоить в среднем 15 новых иностранных слов. Скорость запоминания, по мнению психологов, зависит от известности или неизвестности структурных элементов слова (корень, суффикс, префикс), от конкретности или абстрактности понятия и от совпадения или несовпадения объемов значения слова в иностранном и родном языке учащихся. Поэтому на первых уроках количество слов может быть доведено до 20—25 за счет усвоения названий конкретных предметов, которые находятся вокруг. Позже количество новой лексики на одном занятии может колебаться в зависимости от названных выше свойств вводимых слов.

Сначала новые слова даются только в одном значении в составе элементарных предложений: *Это комната. Это стол. Там окно. Здесь доска.* Значение слов *это, там, здесь* демонстрируется указательным жестом на эти предметы. Позже структура предложения, вводящего новые слова, может усложниться: *Мы умеем петь и танцевать. Мы говорим и читаем по-русски. Брат занимается русским языком...* и т. д. При этом **предложение, вводящее новое слово, не должно содержать грамматических трудностей.**

Включение новых слов в предложение позволяет не только усвоить их значение, но и осознать связи с другими словами, дает образцы употребления новых слов в речи, ставя их в определенные ситуативно-тематические рамки, что вполне соответствует ситуативно-тематическому, комплексно-концентрическому принципу и принципу коммуникативной активности.

Ситуативно-тематическая организация учебного материала позволяет одновременно вводить однокоренные слова и слова-антонимы. Например, в теме «Здоровье» или «У врача» можно объединить такие слова, как *болен—здоров (Он был болен, а теперь здоров), болен (Он болен гриппом), болеть (У него болит нога), больной (Прием больных с 12 до 14 часов)* и *больница (Его положили в больницу)*. В разговоре о семье и квартире можно объединить такие антонимы, как *большой—маленький, теплый—холодный, новый—старый* и т. д. Такая группировка облегчает запоминание новой лексики и повышает ее коммуникативную ценность.

Семантизация новых слов

Семантизация лексики — это объяснение значения новых, неизвестных учащимся слов различными способами. Таких способов несколько. Можно объяснять значение новых слов с помощью рисунков, схем, фильмов, слайдов и других средств наглядности, а также демонстрируя сами предметы. Одновременное участие зрения и слуха при работе над семантизацией новых слов способствует более прочному и беспереводному усвоению значения нового слова.

С помощью средств наглядности можно объяснить значение таких слов, как *книга, портфель, окно, мяч, стоять, идти, бежать, читать, писать* и др. Можно объяснить значение прилагательных, обозначающих цвет, размер и форму предметов, и значение некоторых наречий, например *быстро, медленно, громко, тихо, много, мало, впереди, сзади* и др. Этот способ особенно хорош при объяснении значений новых слов, называющих конкретные предметы.

Но такие слова, как *работа, способный, уметь* и др., невозможно объяснить наглядно. В этих случаях самым экономным способом семантизации служит **перевод слова** на родной язык учащихся.

В методике преподавания русского языка как иностранного, в основе которой лежит принцип сознательности обучения, считается, что перевод необходим там, где невозможен какой-либо другой способ семантизации. Нужно только, чтобы перевод не становился самоцелью, занимая слишком много времени на уроке, особенно если урок — единственная возможность слушать русскую речь.

Перевод нового слова можно давать в виде краткой ремарки после того, как прозвучит на русском языке предложение с этим словом.

Значение некоторых слов можно объяснить с помощью подбора **синонимов** (*чуть-чуть — мало; колоссальный, огромный — очень большой*), **антонимов** (*жарко — холодно, начало — конец, мешать — помогать*) и подбора **родового понятия к видовому** (*береза — дерево, учебник — книга*).

Семантизация новых слов может проводиться на основе **словообразовательного анализа** (*строить — строитель, писать — писатель, читать — чтение, дружить — дружба*), с **помощью контекста** и, наконец, путем **описания или толкования значения новых слов** на русском или на родном языке учащихся.

Из названных способов семантизации слов на начальном этапе обучения применяются не все. Так, подбор синонимов почти невозможен из-за ограниченного запаса слов учащихся. Этот способ более приемлем на среднем и особенно на продвинутом этапе обучения. Подбор антонимов как способ семантизации новых слов может рассматриваться лишь условно. На начальном этапе целесообразнее говорить о рациональном введении новых слов-антонимов в рамках конкретной разговорной темы, где, вступая в определенные отношения между собой, они помогают уяснить значение друг друга.

Приемы семантизации новых слов с помощью контекста, подбора родовых понятий к видовым и на основе словообразовательного анализа могут использоваться и на начальном этапе обучения, особенно в группах студентов, цель изучения языка которых — чтение специальной литературы и газет на русском языке. Эти приемы развивают способность к языковой догадке и позволяют значительно расширить потенциальный словарь и пассивный запас лексики вообще, что необходимо при чтении литературы по специальности.

Особое место среди способов семантизации новых слов занимает **толкование**. Сторонники беспереводного обучения используют толкование новых слов на изучаемом языке во всех случаях, когда нельзя применить наглядность. Часто это приводит к тому, что одно неизвестное слово объясняется с помощью другого неизвестного слова, а значение остается непонятным.

Толкование значений слов на русском языке принесет максимальную пользу учащимся на продвинутом этапе обучения.

⫸ Вывод

Итак, семантизация новых слов с помощью наглядности, перевода и толкования на родном языке учащихся является самой оптимальной и самой доступной на начальном этапе. А способы семантизации с опорой на словообразовательный анализ и контекст, развивающие навык языковой догадки, особенно важны для тех, кто изучает русский язык, чтобы читать специальную литературу и газеты.

ЗАПОМИНАНИЕ СЛОВ

В литературе по преподаванию, например английского языка как второго языка в США, ведутся споры относительно того, как определить необходимую лексику: давать ее в списках или ждать, когда у студентов возникнет потребность в определенной лексике. Это отражено и в некоторых учебниках русского языка, где не выделен активный словарь каждого урока, т. е. каждый учащийся запоминает те слова, которые ему нужны. Известно, что американские студенты любят получать и заучивать списки слов. Но списки слов остаются в краткосрочной памяти и быстро забываются.

Давайте обсудим!

1. Если вам надо сделать выбор между учебником с ясным, но небольшим активным словарем и учебником, в котором не выделен активный словарь, но содержится большое количество слов, какой вы выберите? И какую организацию слов вы предпочтете? Ту, где словарь организован тематически, или ту, где слова вводятся в зависимости от сюжета?

2. Когда идет работа парами или в группах, можно дать одну из двух установок: а) если вы не знаете слова, спросите учителя; б) постарайтесь сказать то, что вы можете сказать, а не то, что не можете. Кроме того, возможна комбинация этих подходов. Что вы предпочтете?

3. Предположим, кто-то спросил у вас: «Как сказать по-русски *boring*?» Что вы сделаете?

● Можно написать слово на доске по-русски и показать всем.

● Можно тут же ввести это слово в активный словарь, например, учитель говорит: *«Скучный. Я смотрела скучный фильм, такой скучный, что я хотела спать. Иногда у вас бывают скучные уроки, и вы хотите спать в классе?»; «Эта книга скучная? Нет, она не скучная, она очень интересная»; «У вас было скучное воскресенье? Да? Почему?»* Спросите друг друга: *«У тебя было скучное воскресенье?»* Если да, то узнайте почему.

4. Предположим, что в каждом уроке учебника есть список слов. Вы хотите активизировать эти слова. Можно сказать: *«На завтра надо знать слова...»* — и ученики их выучат, но надолго ли? Необходимо создать коммуникативные ситуации для того, чтобы слова остались в памяти. Эти ситуации должны быть значимыми, т. е. на начальном этапе должны иметь коммуникативный смысл, быть реальными, а позже слова должны обслуживать коммуникативные интересы студентов.

Преподавателям хорошо известно, что нередко учащиеся, добросовестно заучившие новые слова, не могут употребить их в речи. Заученные слова не вызываются в нужных ситуациях, и преподавателю приходится постоянно напоминать, где и какое слово необходимо употреблять.

По нашему мнению, это происходит потому, что на этапе семантизации в результате многократного повторения образуется неправильная связь, которая в дальнейшем тормозит формирование должной связи.

И действительно, на этапе семантизации происходит запоминание связи «форма—значение», которая обычно срабатывает при осуществлении рецептивных видов речевой деятельности, когда слушающий или читающий вначале встречается с формой языкового явления. Когда же таким способом он вынужден искать соответствующее значение для говорения, где движение идет обратным путем — от мотива, порождающего какую-либо мысль, к оформлению самой мысли, когда необходимо прежде всего наличие связи «значение—форма», т. е. связи, обратной той, которая закладывается на этапе семантизации, студент не в состоянии вспомнить слово. В связи с этим на этапе формирования лексических навыков, когда перед учащимися ставится задача выразить с помощью нового слова свою мысль, им приходится перестраивать эту связь на ту, которая требуется для говорения.

➠ Вывод

Следовательно, для того чтобы вызвать у учащихся потребность в использовании новых слов, необходимо предварительно позаботиться о создании у них такой совокупности мыслей, которая побуждала бы к их выражению. В этом случае «функциональность» находится в прямой зависимости от наличия потребности в говорении и восприятии того, что говорят собеседники. Вне такой потребности будет иметь место лишь проговаривание «по принуждению», а не выражение собственных мыслей.

Для запоминания лексики нужно:

1. Понять значение слова.
2. Уяснить его употребление.
3. Многократно повторить его в сходных ситуациях.
4. Многократно повторить его в меняющихся ситуациях.
5. Периодически повторять старый выученный материал.

ЛЕКСИЧЕСКИЕ УПРАЖНЕНИЯ

Приемы работы над словарем

1. Сгруппируйте слова, используя следующие критерии: ассоциации, функции. Что общего между этими словами?

Мороженое, магазин, огурец, газета, ребенок, дом, сад, компьютер, собака, жираф, апельсин.

2. Назовите пять профессий, где люди носят белые халаты.

3. Назовите пять действий, которые вы выполняете утром.

4. «Снежный ком».

Студент 1: *Сегодня утром я встал в 8 часов.*

Студент 2: *Сегодня утром я встал в 8 часов и почистил зубы.*

Студент 3: *Сегодня утром я встал в 8 часов, почистил зубы и сделал зарядку.*

5. Игра с мячом.

Я иду ... домой. (Бросает мяч другому студенту.)
     ... в университет.

6. Составьте коллективный рассказ.

Преподаватель: *Вчера я видел странного человека.*

Студент: *У него были зеленые волосы.*

Если сочинение рассказа идет с трудом, учитель может сыграть роль следователя, непонимающего или забывчивого человека: *Но вы сказали, что у него были синие волосы?*

7. Напишите сочинение со словами данного урока или с определенным набором слов.

8. Расскажите о ..., используя слова ... .

9. Распределите слова:

	Дом	Еда
спальня масло кровать морковь кухня нож стол кресло		

10. Расширьте список упражнений для выработки различных умений, представленный в таблице. Добавьте к списку те, которые вы знаете.

Тренировка лексики для выработки умений

Языковые умения	Речевые умения	Коммуникативные умения
1. «*Шторм*» а) назовите слова этой группы *неделя* *понедельник...* б) Назовите действие, связанное с этим словом *птица* — *летает*, *поет*	1. «*Снежный ком*» Что можно подарить на день рождения? Каждый добавляет слово, повторяя все предыдущие	1. Обсуждение, дискуссия: «*Если бы вы выиграли миллион*»

2. «*Что это?*» К каждому существительному подберите соответствующее прилагательное, запишите: *узкий, опасный, аккуратный;* *улица, преступник, студент*	2. «*Ассоциации*» Назовите слово, как оно связано с названным раньше	2. «*Найдите ... в аудитории*» (опрос, анкетирование)
3. Назовите 10 профессий, связанных с машиной: *шофер ...*	3. *Разверните/ сверните* фразы: (какая?) *Королева неожиданно увидела офицера* (когда? где?)	3. *Рассказ по цепочке* (один студент начинает, следующий добавляет и т. д.)
4. Напишите действия, связанные с профессией ...	4. «*Круг в круге*» Задайте 10 вопросов о семье	4. Работа в группах
5. На доске написано 10 слов. Запомните их. Скажите, как вы их запомнили		5. Придумайте ситуацию, диалог
6. Категории. Расклассифицируйте слова по категориям		6. Обобщите, кто что сказал в течение урока
7. На доске написано 20 слов. Запомните. Слова стираются. Восстановите их		7. Передайте содержание текста одной фразой 8. Напишите сочинение, включив 5 слов: *солнце, зонтик, еда, врач, учебник* 9. Напишите сочинение (5 минут) на тему: «*Дверь*», «*Щедрый человек*» 10. Как связаны следующие картинки?

Образец работы на начальном этапе над лексикой по теме «Семья»

1. Обработка материала

Преподаватель читает текст и просит студентов: а) поднять руку, если они слышат слово с названием члена семьи (невербальная поддержка); б) отметить в таблице слова, которые они слышат (вербальная).

```
1. Отец —
2. Мать —
3. Сестра — 1
4. Дедушка —
...
```

Просит заполнить пропуски в тексте, вставив, где надо, слова: *отец, мать ...*

Затем следует повторение, предлагается упражнение: «*Слушайте и повторяйте фразы*».

2. Тренировка

1. Дается ключевое слово, например *сын*. Студенты должны включить это слово во все возможные вопросы.

2. Раздаются карточки со словами. Студенты должны задать друг другу вопросы, в которые входят эти слова, начав: *У вас есть ...*

Образец карточки

сын	друг	дети	дядя	бабушка
дочь	подруга	семья	тетя	дедушка
		брат		
		сестра		

3. Выход в речь

1. Ролевая игра (моделирование): студенты получают карточки, на которых написано, кто какой член семьи.

2. Реальное общение. Дискуссия. Маленькие группы обсуждают свои семьи и сообщают об этом всем (используются фото).

Контрольная работа, проверяющая знание слов

1. Соедините слова двух колонок. Какое слово соответствует какому?
2. Напишите синонимы, антонимы.
3. Что значит слово ...?
4. Какие ассоциации вызывает у вас слово ...?
5. Напишите пять слов, которые значат ...?
6. Составьте из данных слов предложение.
7. Употребите слово ... в предложении.
8. Найдите русские эквиваленты словам ... .
9. С какими прилагательными можно употреблять слова ...?
10. С какими глаголами можно употреблять слова ...?
11. Какие слова нужны, чтобы описать картинку?
12. Диктант.

Практика преподавателя

✓ **Задание.** *Ознакомьтесь с различными способами семантизации лексики и укажите наиболее оптимальные.*

1. Известно, что некоторые близкие по значению русские слова и конструкции трудно объяснить учащимся.

• Как вы объясните начинающим изучать язык разницу значений глаголов *учиться—учить—изучать?*

• Как помочь учащимся не путать слова *звать—называться?*

• Чем отличаются конструкции: *Играть во что? — Играть на чем?*

• Как вы объясните различия между словами *запомнить, напомнить, помнить, вспомнить?*

2. Известны два способа семантизации лексики (раскрытия значения слов): переводный (с использованием родного языка учащихся или языка-посредника) и беспереводный. Скажите, какими из приведенных ниже особенностей характеризуется переводный и беспереводный способ семантизации лексики.

• Активизирует внимание и восприятие учащихся в ходе ознакомления с новой лексикой.
• Экономичен по времени.
• Развивает языковую догадку учащихся.

• Устанавливает непосредственную связь иноязычного слова с предметом или явлением действительности.

• Полезен для семантизации абстрактных понятий.

3. Существует много способов семантизации слова, например:

• Использование иллюстративной наглядности.

• Мимика и жест.

• Антонимы.

• Синонимы.

• Этимологический анализ (по словообразовательным элементам).

• Объяснение новых слов при помощи перечисления (отношения частного к целому, отдельного к общему).

• Объяснение с опорой на контекст.

• Толкование (дефиниция).

• Перевод на родной язык или на язык-посредник.

Скажите, какой из этих способов: а) одноязычен, б) экономичен во времени, в) помогает установлению семантического гнезда слов, г) полезен для попутного развития навыка аудирования, д) удобен для семантизации абстрактных понятий, е) помогает избежать перевода, ж) не может быть использован для семантизации абстрактных понятий, з) полезен для развития навыков чтения, и) помогает раскрыть значение понятий, отсутствующих в родном языке учащихся или в языке-посреднике, к) развивает языковую догадку учащихся.

4. Какие из способов семантизации новой лексики предпочтительнее использовать: а) на начальном этапе, б) на продвинутом этапе обучения? Например, вам нужно познакомить учащихся со значением слов *рука, старый, посуда, часы, бесконечный, нога*. Какие способы семантизации этих слов предпочтительнее? Почему?

5. Преподаватель объяснил с помощью перевода слова *природа, красивый, восприятие, мечта*. Правильный ли способ семантизации он выбрал? Аргументируйте свое мнение, назовите несколько слов, для объяснения которых перевод был бы оптимальным способом семантизации.

6. С целью семантизации слов и словосочетаний — *форма, киноактриса, иметь свои плюсы и минусы* — преподаватель дал следующие микротексты. Скажите, какой способ семантизации лексических единиц он использовал в каждом случае в дополнение к контексту.

а) — *У тебя есть спортивная форма?*
   — *Спортивный костюм? Конечно. А у тебя?*

б) — *Моя сестра хочет стать артисткой и играть в кино.*
   — *Значит, она хочет стать киноактрисой?*

в) *Знаете ли вы эти знаки?*

+ плюс	× умножить
− минус	: разделить

Кто-то рассказывал о своем друге: *У него есть свои плюсы и минусы.* Как вы думаете, что он хотел этим сказать?

7. Один и тот же прием семантизации лексики имеет свои особенности в зависимости от того, на каком этапе обучения он применяется. Сравните фрагменты занятия на начальном и продвинутом этапе обучения. Оба фрагмента посвящены семантизации слов при помощи контекста. Скажите, каковы особенности презентации лексики, предлагаемой в первом и во втором случае.

• Преподаватель демонстрирует картинки и следующие подписи к ним для семантизации глаголов *мочь, уметь, слушать, слышать. Он **умеет** ездить на велосипеде. Он **не может** кататься на велосипеде, потому что у него болит нога. Он **слушает** преподавателя внимательно, но плохо **слышит**: студенты рядом разговаривают.*

• Преподаватель предлагает следующий текст в устной или графической форме для семантизации слов *вещество* и *состоять: Окно, как мы видим, **состоит** из дерева, стекла и металла. Этот карандаш **состоит** из дерева и графита, а эта авторучка **состоит** из пластмассы и металла. Мы говорим: дерево, стекло, графит и пластмасса — **вещества**. Нам известны самые разнообразные **вещества**: мел, соль, сахар, вода. Химики говорят об органических и неорганических **веществах**.*

8. Преподаватель предложил учащимся подобрать (назвать) антонимы к прилагательному *искусственный*. Учащиеся назвали три: *естественный, природный, натуральный*. Между тем в этом ряду могут быть названы, по крайней мере, еще два слова. Какие?

9. Для семантизации слова *цветок* два преподавателя использовали иллюстративную наглядность. Первый из них показал одну картинку с изображением розы, а второй — две с изображением розы и гвоздики. Чей выбор вам кажется более оптимальным? Почему?

ОБУЧЕНИЕ ФОНЕТИКЕ

ДАВАЙТЕ ОБСУДИМ:

1. *Надо ли заниматься фонетикой? Когда? Сколько? Как?*
2. *Какие фонетические явления следует отработать в первую очередь? Какие позже?*
3. *Сколько, когда и как надо работать над интонацией?*
4. *Надо ли учащимся читать вслух на уроке? Зачем?*
5. *Как развивать «фонетический» слух на уроках?*

ПРОБЛЕМЫ ОБУЧЕНИЯ ФОНЕТИКЕ И ИХ РЕШЕНИЕ

Проблема	Решение проблемы
1. Какие фонетические ошибки должны устраняться в первую очередь?	Должны устраняться ошибки, и в первую очередь фонологические, так как они мешают пониманию, например, твердость и мягкость согласных
2. Надо ли объяснять, как образуется звук, или достаточно одной имитации?	Хорошо, когда имитация сопровождается объяснением, рисунками, так как не все студенты способны услышать разницу в произношении родного и изучаемого языка. Кстати, разницу в произношении студенты быстрее услышат, если преподаватель произнесет, например, английскую фразу с русским акцентом
3. Какова последовательность работы над звуком?	В первую очередь даются звуки, близкие в русском и родном языках, затем те, которых нет в родном, и потом те, которые в родном отличаются от русских

Окончание

4. Нужен ли вводно-фонетический курс?	Большинство программ по русскому языку имеет слишком мало часов, что не позволяет вводить такой курс, хотя он целесообразен
5. Нужно ли продолжать работать над фонетикой на продвинутом этапе обучения и как?	Работа над фонетикой должна быть на любом этапе, переносятся лишь акценты и меняются виды работ — от работы над звуком к работе над словом, фразой, текстом
6. Какой фонетический акцент допускается?	Такой фонетический акцент, который не мешает пониманию речи
7. С чего начинать работу над звуком (с произношения или с аудирования)?	Различение звуков вначале вырабатывается на уровне аудирования, а затем переносится на произношение. Рекомендуется постоянно проводить диктанты на аудирование
8. Как работать над ударением?	Следует постоянно обращать внимание на правильность ударения, записывать слова с ударением. (Некоторые студенты пишут, расставляя в своем тексте ударения.)
9. Как работать над интонацией?	Работа над интонацией требует, во-первых, знакомства с интонационными конструкциями, во-вторых, большой работы в лингафонной лаборатории с кассетами

ОСНОВНЫЕ НЕДОЧЕТЫ В РАБОТЕ НАД ФОНЕТИКОЙ

1. Студенты мало работают с аудиоматериалом. Больше уделяется внимания письменным упражнениям, чем слушанию и повторению услышанного.

2. Преподаватель не исправляет и не контролирует произношение студентов, не включает его в финальные экзамены.

3. Аудирование как элемент урока отсутствует или дается нерегулярно.

4. Преподаватели не знакомы:

— с русской фонологической системой и не показывают ее студентам при введении алфавита;

— с приемами, помогающим правильно поставить произношение звука, и не пользуются ими.

5. Фонетическая работа ведется не планомерно, а от случая к случаю. Нет программы последовательной работы на разных этапах обучения.

6. Мало используются стихи, песни, помогающие произношению, ритмике слова и интонации.

7. Мало применяются дополнительные средства для работы над фонетикой: ритмизация, мелодия, выпевание, что особенно помогает при работе над ритмикой, ударением и интонацией.

8. При чтении текстов вслух студенты не обучаются тому, как членятся фразы на синтагмы с расстановкой синтагматического ударения.

РЕКОМЕНДАЦИИ ПО РАБОТЕ НАД ФОНЕТИКОЙ И ИНТОНАЦИЕЙ

1. Очень важно научить студентов различать на слух *мягкие* и *твердые согласные, ы—и, ц—ть—ч, щ—ш*. С этой целью полезно постоянно проводить слуховые диктанты на различение минимальных пар. Например, предлагается 10 пар слов, одни пары состоят из одного и того же слова, другие — из минимально отличающихся. Студентам надо услышать, где есть различия, а где нет. Начинать лучше со слогов, давать односложные слова, а потом двусложные слова и целые предложения. Например: I. 1. *сы—си*; 2. *ты—ти*; 3. *ми—мы*. II. 1. *сыр—сир*; 2. *мил—мыл*; 3. *дым—дим*. III. 1. *дырка—тирка*; 2. *мила—мыла*; 3. *мыло у нас — Мила у нас*.

2. Постоянно практиковать фонетические диктанты в аудитории и в лингафонной лаборатории.

3. На каждом уроке выделять время для развития навыков аудирования.

4. При постановке звуков использовать схемы артикуляционного аппарата и приемы, помогающие произношению, например, при работе над оппозицией «мягкие—твердые» обратить внимание на их акустическое различие: мягкие звучат «выше», твердые — «ниже», на расслабленное положение языка, продвинутого вперед, при

мягких и на оттянутость языка назад при произношении твердых согласных.

а) В русском языке все мягкие имеют окраску на -*и*, а все твердые — на -*ы*. Сравните: *б-б-б/б'-б'-б'*.

б) Русское *ы* можно поставить с помощью других звуков:

• при помощи звука *у*, если его энергично произнести и медленно растягивать губы, оставляя на том же месте язык: *у-у-у-ы-ы-ы*;

• при помощи звука *и*, если при этом начать сильно оттягивать язык назад. Чтобы язык был далеко оттянут назад, можно его фиксировать с помощью карандаша (ручки, ложки).

в) Трудности в произношении вызывает твердый *л*. Помочь его поставить могут такие приемы:

• представьте, что вы хотите как бы вытолкнуть зубы изо рта и произнести при этом: *л-л-л-л*;

• произнесите *л*, прикусив кончик языка верхними и нижними зубами;

• прижмите переднюю часть языка к нижним зубам и говорите: *ла-лал-ла*.

5. Использовать скороговорки, стихи, ритмизированные фразы, проговаривая их под музыку, в ритме, нараспев, отрывисто.

6. Читая текст, надо приучать студентов членить фразы на синтагмы и читать их с учетом не только словесного, но и синтагматического ударения. Не забывать эту работу не только на начальном этапе, но и на продвинутом. В результате фраза будет выглядеть так:

На́ши студе́нты / лю́бят чита́ть кни́ги / о путеше́ствиях.

ФОНОЛОГИЧЕСКАЯ СТРУКТУРА

Когда речь идет о грамматике, никто не спорит, что надо студентов знакомить с грамматической структурой, предлагать им таблицы, показывать системность явлений. Но как только речь заходит о фонетике, голоса затихают. В большинстве случаев преподаватели соглашаются, что надо студентам «поставить» звуки. Например, русские [*т*] и [*д*], [*ш*] и [*ж*], [*ц*]. Но система фонем? Некоторые думают, что это область чистой лингвистики, а не практики преподавания. Так ли это? Не облегчит ли студентам знакомство с фонологической русской системой понимание многих фонетических, графических и грамматических явлений?

1. Система противопоставления твердых и мягких согласных помогает усвоению русской орфографии.

б	п	в	ф	д	т	з	с	л	м	н	р
б'	п'	в'	ф'	д'	т'	з'	с'	л'	м'	н'	р'

После твердых пишется — *а о у ы э*; после мягких — *я ё ю и е*.

Практика показывает, что начиная работать над мягкостью— твердостью, можно тренировать произношение по такой таблице:

ба бя	па пя	ва вя	фа фя	да дя	та тя
бо бё	по пё	во вё	фо фё	до дё	то тё
бу бю	пу пю	ву вю	фу фю	ду дю	ту тю
бы би	пы пи	вы ви	фы фи	ды ди	ты ти
бэ бе	пэ пе	вэ ве	фэ фе	дэ де	тэ те

Она может первое время постоянно висеть в аудитории и ее прочтение может проходить как фонетическая зарядка. Эта таблица дополняется еще тремя таблицами:

га		ка		ха	
го		ко		хо	
	ги		ки		хи
	ге		ке		хе

жа	—	ша	—	ца	—
жё/жо	—	шё/шо	—	цё/цо	—
жу	—	шу	—	цу	—
жи	—	ши	—	ци	—
же	—	ше	—	це	—

—	ча	—	ща
—	чё/чо	—	щё
—	чу	—	щу
—	чи	—	щи
—	че	—	ще

Такие таблицы также помогут понять и систему звуков, и правила орфографии, а также они будут полезны тогда, когда студенты будут работать над грамматикой. Параллельные окончания существительных и прилагательных типа -*ам/-ям*; -*ых/-их*; -*ом/-ем* легко воспринимаются студентами, если они знакомы с фонологическим противопоставлением.

2. Система разделения согласных по глухости—звонкости также важна, так как, понимая ее, легче усвоить ассимиляцию и запомнить правописание приставок, оканчивающихся на *з* и *с* (типа *раз-/рас-; без-/бес-* и т. д.)

РИТМИКА СЛОВА

Очень важно с первых дней обратить внимание студентов на ритмику русского слова и постоянно над ней работать, так как явление редукции осложняет восприятие русской устной речи, особенно если студенты мало слушают русскую речь или, слушая, опираются на графический текст.

Хочется еще раз посоветовать: а) на каждом уроке отводить время для аудирования; б) вводить тексты устной речи (диалоги) сначала устно без опоры на письменный текст, приучая учащихся слушать и слышать речь; в) работать над редукцией тем более важно, что наблюдение над современным русским произношением регистрирует усиление редукции в речи носителей языка, иногда вплоть до полного исчезновения гласной в заударных и предударных слогах типа:

т(ъ)т(а)ТА́ ТА́′т(а) т(ъ).

Кстати, схемы ритма помогают студентам:

таТА́	*таТАТА́*	*таТА́та*
дома́ [даМА́]	*хорошо́ [хърашо́]*	*доро́га [даРо́гъ]*

Иногда студентам очень трудно редуцировать, в этом случае можно рекомендовать сильнее и дольше произносить ударный слог, намеренно удлиняя (растягивая) гласную по сравнению с безударными гласными.

ОБУЧЕНИЕ ПРОИЗНОШЕНИЮ

В предыдущих разделах говорилось о целесообразности совмещать имитацию с объяснением, за которым последует тренировка.

Упражнения, тренирующие и развивающие фонетический слух учащихся

1. Слушайте и опознавайте звук ... (подчеркните в тексте, поднимите карточку с этим звуком).

2. Слушайте пары слогов (слов), отмечайте знаком + (плюс) одинаковые слоги (слова) и – (минус) разные.

3. Записывайте знакомые слова, которые услышите в потоке речи.

4. Слушайте слова (фразы), отметьте в тексте, каким словам (фразам) они соответствуют.

5. Слушайте текст, одновременно читая его, вписывайте в текст пропущенные слова.

6. Слушайте и определяйте тип ИК, в зависимости от этого поставьте в конце предложения точку, вопросительный или восклицательный знак.

Упражнения, направленные на выработку правильной артикуляции звуков и интонирования

1. Слушайте и повторяйте про себя.

2. Слушайте и повторяйте вместе с преподавателем (диктором).

3. Слушайте и повторяйте в паузы.

4. Слушайте, читая.

5. Слушайте, повторяйте, читая.

6. Слушайте, повторяйте, записывайте на магнитофон. Сравнивайте свое произношение с произношением диктора (преподавателя).

7. Слушайте, пишите (диктанты).

8. Слушайте и записывайте в транскрипции. Прочитайте запись. Сравнивайте свое произношение с произношением диктора (преподавателя).

9. Читайте в транскрипции и записывайте свое произношение на кассету.

10. Слушайте. Ставьте ударения.

11. Слушайте, читая. Обозначайте тип ИК и синтагматическое членение.

12. Прочитайте текст в интонационной записи. Запишите текст на кассету.

Упражнения с коммуникативной установкой

Выполняются на заключительном этапе работы и являются по сути коммуникативными заданиями устных видов речевой деятельности: говорения и слушания. То же самое можно сказать и о видах контроля.

Практика преподавателя (аудиторные упражнения)

✓ *Задание 1. Как вы оцениваете следующие виды упражнений? Для какого этапа обучения их можно рекомендовать?*

1. Прочитайте английские слова, а затем прослушайте их в русском произношении.

Atom, comet, coffee, Pepsi, America, concert, interest, motor, hamburger.

Атом, комета, кофе, пепси-кола, Америка, концерт, интерес, мотор, гамбургер.

2. Прочитайте стихи:

> *Если руки мыли вы,*
> *Если руки мыли мы,*
> *Если руки вымыл ты,*
> *Значит, руки ВЫ-МЫ-ТЫ.*

> *Кто вечно хнычет и скучает,*
> *Тот ничего не замечает,*
> *Кто ничего не замечает,*
> *Тот ничего не изучает,*
> *Кто ничего не изучает,*
> *Тот вечно хнычет и скучает.*
> *(Если скучно стало, начинай сначала!)*

> *(Р. Саф)*

✓ *Задание 2. Как вы понимаете следующие задания по фонетике? Зачем они? Какую цель преследуют?*

1. Покажите, как дует сильный ветер (рис. 1).
2. Покажите, как дуют для того, чтобы погасить свечу (рис. 2). Одинаков ли характер воздушной струи?

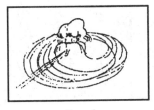

Рис. 1   Рис. 2

3. Покажите, как дуют на больное место (рис. 3).
4. Покажите, как сдувают пушинки с ладони (рис. 4). Одинаков ли характер воздушной струи? Укажите сходство и различие. Сравните силу, продолжительность, резкость выдоха, описанного в п. 1 и 3, 2 и 4.
5. Покажите, как дуют на ложку с горячим супом, готовя обед (рис. 5).

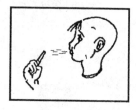

Рис. 3   Рис. 4   Рис. 5

Обратите внимание! Слабый, продолжительный, нерезкий выдох максимально приближен к выходу при речевом дыхании у русских. Дыхательная гимнастика позволяет развить дифференциацию степени продолжительности и силы выдыхаемой воздушной струи, необходимых для овладения русской ритмикой.

Учим контролировать положение губ.

1. Округлите губы, при этом они слегка вытянутся вперед (рис. 6).
2. Еще больше вытяните губы вперед, как для поцелуя, при этом раствор ротовой полости будет минимальным (рис. 7).
3. Улыбнитесь, при этом губы растянутся (рис. 8).

Рис. 6   Рис. 7   Рис. 8

4. Улыбнитесь так, чтобы губы растянулись, напряглись, раскрылись, слегка обнажая зубы (рис. 9).

Обратите внимание! Данные губные артикуляции предназначены для произношения гласных:

1 — о, 2 — у, 3 — и, 4 — ы.

Учим контролировать движение языка вперед-назад.

1. Вытяните язык вперед, попытайтесь достать кончиком до подбородка, передняя часть языка при этом будем узкой, напряженной (рис. 10).

2. Максимально оттяните язык назад, при этом он настолько напряжен, что может ощущаться усталость (рис. 11).

      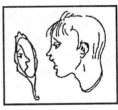

Рис. 9   Рис. 10   Рис. 11

Обратите внимание! Движение языка вперед-назад существенно для дифференциации гласных И—Ы, твердых—мягких согласных, а также для внутри- и межслоговых переключений артикуляции с передних на непередние, с твердых на мягкие и наоборот. Все упражнения артикуляционной гимнастики могут быть проконтролированы с помощью зеркала[1].

 Задание 3. Знаете ли вы, что систему русских гласных можно представить следующим образом?

Определите, какие принципы лежат в основе этой схемы.

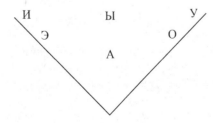

---

[1] По книге Н.А. Шмельковой, Л.В. Фролкиной. Пять уроков русской фонетики. М., 1988.

Раздел 5
УЧЕНИК—УЧИТЕЛЬ—УРОК—УЧЕБНИК

- ◆ УЧЕНИК. ЧТО НАДО О НЕМ ЗНАТЬ?
- ◆ УЧИТЕЛЬ — ПРОФЕССИЯ ТВОРЧЕСКАЯ
- ◆ УРОК. КАК ЕГО ПОСТРОИТЬ?
- ◆ УЧЕБНИК. КАКОЙ УЧЕБНИК ВЫБРАТЬ?

УЧЕНИК. ЧТО НАДО О НЕМ ЗНАТЬ

ДАВАЙТЕ ОБСУДИМ:

1. *Все ли учащиеся могут хорошо учиться? Как помочь тем, кто не может учиться хорошо?*
2. *Какие способности помогают студенту легче и быстрее изучать иностранный язык?*
3. *Можно ли в процессе обучения развивать эти способности?*
4. *Какую роль в изучении иностранного языка играет память?*
5. *Что необходимо учащемуся, чтобы научиться говорить легко и свободно, не задумываясь над каждым словом?*

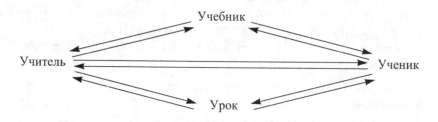

МОТИВАЦИЯ

Трудно, если вообще возможно, эффективно преподавать иностранный язык, когда учитель плохо знает, каким образом учащиеся овладевают языком, какие интеллектуальные и эмоциональные особенности проявляются в этом процессе. Педагог К. Д. Ушинский писал: «Изучайте законы тех психических явлений, которыми вы хотите управлять, и поступайте, соображаясь с этими законами и теми обстоятельствами, в которых вы хотите их приложить».

Какие же психические факторы нужно учитывать при обучении русскому языку? Принято выделять следующие личностные факторы эффективности учебного процесса:

1) мотивы овладения языком;

2) коммуникативные потребности;

3) стратегии овладения языком (интеллектуальная деятельность при изучении языка);

4) стратегии использования языка в целях общения.

Мотивы овладения языком — это главные источники энергии в учебном процессе, продвигающие учащихся по пути изучения иностранного языка. Если учащимся интересно на занятии, то лучше работает память, они внимательны, их работоспособность повышается, они легко включаются в учебную деятельность. «Скука — тоже эмоция, — говорил один известный русский педагог, — но она не обогащает умственную деятельность человека, а подавляет ее».

Виды мотивации

Существует несколько видов мотивации. По выражению А. Н. Леонтьева, мотивы — это «мотор деятельности». Люди по-разному относятся к изучаемому языку, к культуре общества, язык которого изучают, к занятиям по русскому языку.

Степень владения языком сознательно устанавливается самими учащимися:

• читать художественную литературу (понимание общего смысла, чтение со словарем);

• уметь общаться в повседневно-бытовой среде;

• научиться писать письма сверстникам;

• понимать язык во время экскурсий по стране;

• понимать слова песен;

• читать научно-фантастическую и приключенческую литературу;

• слушать определенные виды радиопередач и т. д., и т. п.

Для преподавателя русского языка очень важно знать мотивы изучения языка учащимися, пытаться стимулировать интерес к избранным сферам изучения языка, расширять круг интересов учащихся. Однако на практике (например, в университетах США) оказывается, что студенты начали изучать русский язык, потому что: а) надо выбрать какой-нибудь иностранный язык, а русский подходил по расписанию; б) алфавит русского языка необычен; в) хотелось отличаться от сверстников (все выбрали испанский, а я, не как все, — русский); г) мой друг записался в эту группу и т. п., т. е. мотивы косвенные, не связанные непосредственно с изучением языка.

Как в этих случаях учитывать мотивацию?

Скорее всего необходимо опираться на познавательный интерес, который есть у студентов, и на стремление любого человека видеть положительные результаты своей работы.

ПАМЯТЬ

У методистов есть такой афоризм: «Нет плохих учеников, есть неподходящая для них методика». Задача сегодняшнего обучения — не только давать знания, но и учить ученика учиться. Для этого надо хорошо знать, какими способностями обладает каждый ученик, опираться на эти способности и развивать те, которые у него развиты недостаточно. Какие это способности?

В первую очередь **память**. Роль ее при изучении иностранных языков огромна. Ведь надо запоминать слова, формы. Запоминанию помогают ассоциации, комментарии, мелодия (звучащая в момент запоминания), ритм, моторика (вышагивание, выстукивание, жесты), а также эмоции, вовлеченность ученика в игровую деятельность. Чтобы запомнить, надо многократно повторить текст, слова, но при повторении у учащихся не должен пропадать интерес к изучаемому, не должна возникать усталость. Запоминанию способствуют рифма, опоры на синонимы и антонимы, наглядность, обобщения и т. д.

Произвольное (сознательное) и непроизвольное (автоматическое) запоминание

Психологи, методисты различают два вида запоминания — **произвольное** и **непроизвольное** или **сознательное** и **автоматическое**, запоминание — в зависимости от того, насколько осознанно происходят процессы приобретения знаний. Произвольная память включается тогда, когда сознательно прилагаются усилия, например, для заучивания новых слов, клишированных речевых образцов и т. д. Непроизвольная память работает «незаметно» для человека, запоминание совершается как бы помимо его воли. Например, в процессе обучения на иностранном языке нередко бессознательно фиксируются социальные правила речевого поведения, запоминаются новые слова и т. п. Читая без словаря в большом объеме литературу, учащиеся незаметно для себя значительно увеличивают запас слов, приобретают грамматические знания. Известно, что суггестопедия с помощью музыки и специальных приемов отключает механизмы произвольного запоминания и расширяет при этом непроизвольную память.

Логическое и ассоциативное запоминание

В зависимости от того, каким путем запоминается новое, какие эмоции испытываются при этом, различается **логическая** и **ассоциативная**, образная, эмоциональная память.

Логическое запоминание происходит с помощью таких интеллектуальных действий, операций, как индукция, дедукция, систематизация, перенос.

Индукция — это ход мыслей и запоминание от частного к общему, от примеров к правилу, будь это грамматическое правило или правило речевого поведения.

Дедукция — это движение к знанию от общего к частному, к деталям, от правила к примерам, к использованию правил в речевой практике. Если в обучении преобладают положительные эмоции, то объем запоминаемого увеличивается за счет эмоциональной, ассоциативной памяти.

Классификация (группировка) как прием запоминания используется учащимися тогда, когда необходимо организовать разнородную информацию в однородные группы. Например, лексические единицы сортируются по родам, по семантическим группам (слова, обозначающие части тела, одежду и т. п.). В учебниках для воздействия на этот вид памяти часто используются следующие задания: *«Найдите в данном списке пары синонимов (антонимов)»; «Соедините левую колонку с правой»; «Расклассифицируйте слова по трем группам: а) город, б) квартира, в) университет».*

Ассоциативная память — это способность устанавливать связи между несхожими предметами. Например, для запоминания длинных рядов цифр люди, демонстрирующие большой объем памяти, каждую цифру соединяют со зрительным образом. Ассоциативная память используется в молчаливом методе, где за разноцветными палочками закрепляются слова, части слов или члены предложения. Рисунки и символы помогают легче запомнить стихи, тексты, слова, грамматические явления.

Зрительная, слуховая и моторная память

Зрительная память играет важнейшую роль в запоминании учебного материала. На нее воздействуют все упражнения, представляющие учебный материал в виде рисунков, схем, комиксов, диафильмов, фильмов. Во время устного общения зрительная память фиксирует жесты, выражения лиц собеседников, материальную обстановку общения. Зрительная память с опорой на видеоматериал особенно активно используется в аудиовизуальном методе.

Слуховая память фиксирует интонацию, улавливает сходство и различия между звуковым оформлением слов в родном и иностранном языке, с ее помощью устанавливаются ассоциативные связи для запоминания таких слов, как, например, *журнал* = journal. На нее влияют все упражнения, оформляющие учебный материал в виде ритмизированных фраз, песен, стихов, поговорок, скороговорок. Музыкальное сопровождение текстов, полилогов также способствует запоминанию. Влияет на запоминание эмоциональная окраска одних и тех же фраз, различная тональность, степень громкости. Слуховая память широко используется в молчаливом методе.

Моторная память — запоминание с помощью движений, жестов, мимики. Этот вид памяти нагружается заданиями, включающими в учебный процесс физические упражнения, движения, танцы, жесты. Вспомним метод действия (Total Physical Response), где основной упор делается на выполнение команд, на физическое реагирование на слова учителя.

Управление памятью (произвольной и непроизвольной)

В обучении русскому языку используется много заданий, направленных на произвольное запоминание — заучивание новых слов, правил, речевых образцов, а поэтому одновременно предлагаются различные способы **тренировки памяти.** Например, дается список слов, предлагается внимательно посмотреть на них, затем закрыть глаза и стараться увидеть эти слова на экране внутреннего зрения. Так повторяется несколько раз, количество запечатленных в памяти слов возрастает.

Для запоминания текста его надо читать, а затем припоминать про себя, таким образом чередуется *восприятие с припоминанием.* Причем текст следует читать и припоминать целиком, а не по частям. Если студент забыл какую-нибудь часть теста, он должен не торопиться заглядывать в книгу, а постараться усилием воли восстановить текст.

При *логическом методе* запоминания текст делится на смысловые отрезки, слова разбиваются на группы согласно смысловому значению (цвет, форма, абстрактное значение и т. п.), расставляются вербальные, схематические, иллюстративные опоры.

Со времен древних греков известна техника запоминания *мнемоника*, применяемая в том случае, когда надо запомнить разнородный материал, например списки слов. Цицерон, готовя речь, мысленно располагал ее части в своем доме, а затем легко восстанавливал текст речи, вновь проходя по комнатам дома.

Какие приемы запоминания вы знаете? Научите ими пользоваться своих учеников.

Как организовать запоминание в аудитории

Представьте, что вам надо организовать запоминание в аудитории (дома): а) новых слов; б) грамматического правила; в) речевых единиц; г) таблицы спряжения глаголов. Как это сделать? Как направить внимание учащихся на содержание учебной деятельности, а не на запоминание формальной стороны? Для этого применяются коллективные формы речевой деятельности, различные соревнования, игры, при которых важна не точность воспроизведения речевых единиц, а результат деятельности, быстрота достижения цели. Например, могут быть даны задания: а) произносить реплики диалога в разном темпе, с разной эмоциональностью, избыточной или умеренной жестикуляцией; б) подготовить как можно быстрее вопросы к соперничающей группе на выяснение полноты понимания текста, лекции, объяснений.

ВНИМАНИЕ И ИНТЕРЕС

Внимание. Внимательный ученик лучше все запоминает. Но у разных учащихся внимание разное, и даже у одного и того же человека оно очень неустойчиво в разное время.

Призыв *Будь внимателен!* не помогает. Внимание меняется в зависимости от возраста, физического и психического самочувствия, погоды, освещения, близости—дальности преподавателя и доски, внимание ослабляется из-за монотонности урока, заданий. Что же повышает внимание? *Интерес, деятельность, эмоции, в частности радость, удовольствие.*

Представьте, что вы объясняете новый материал. Одни учащиеся внимательно слушают вас, другие часто отвлекаются, третьи почти вас не слушают. Существует много способов привлечения внимания, повышения интереса к работе в аудитории. Например, можно сделать замечание, попросить отвлекшихся учеников повторить сказанное или привести примеры, организовать взаимное объяснение среди учащихся, постараться увлечь всех яркими примерами, рассказать смешную историю (шутка, насмешка, юмор), сменить тональность объяснения, темы, формы объяснения, использовать музыкальные паузы, зрительную наглядность.

Интерес. Интерес возникает, когда ученик активен, когда поставлена проблема для решения, когда труд разнообразен, есть смена ритмов на уроке, типов задания, когда материал рассчитан на разные способности (есть свобода выбора материала), когда трудность для учащихся посильна (не легко, не трудно) и осознается нужность материала (скепсис убивает интерес: зачем вам это нужно?), когда учащийся видит достижение цели, его труд поощряется, а учиться ему весело и радостно.

Как повысить интерес к изучаемому языку

Изучение языка становится эффективнее, если удается убедить учащихся в том, что иностранный язык потребуется им для будущей профессии, для того, чтобы использовать его во время путешествий, и т. п. Для этого проводятся беседы, разъясняющие, каким образом язык может служить средством удовлетворения учебных и неучебных интересов, какую роль он может сыграть в овладении будущей профессией; читаются лекции, показывающие интересные стороны изучаемого языка.

Интерес учащихся резко снижается, если материал слишком труден для понимания. Преподаватель должен заботиться о доступности материала.

Доступность материала

Как определить доступность учебного материала?

Предъявляемый материал оценивается субъективно: одни и те же единицы обучения могут оказаться простыми, понятными для одних учащихся, но довольно сложными, трудными, непонятными для других. За счет каких субъективных факторов происходит повышение или понижение порога доступности текстов, правил, речевых единиц?

Прежде всего необходимо принимать во внимание **уровень подготовленности** учащихся воспринимать объяснения учителя. Значительным барьером на пути усвоения материала являются **пробелы в знаниях**. Например, ученик, пропустивший занятие, на котором объяснялось образование будущего времени глаголов совершенного вида, будет считать, что в предложениях *Я прочитаю, Я напишу* содержится форма настоящего времени.

Неправильный способ предъявления нового материала мешает пониманию объяснений. Учащимися с рационально-логическим типом мышления, например, будет восприниматься с трудом лексико-грамматический и коммуникативный материал, предъявляемый без детального объяснения, без соотнесения с пройденным материалом, без примеров, показывающих условия осуществления речевых действий, и т. п.

Преимущественно устная форма предъявления материала потребует больше усилий для понимания у человека, привыкшего получать информацию через зрительный канал восприятия.

Ощущение дискомфорта, усталость, однообразие форм учебной деятельности могут сделать простой материал недоступным для понимания. Вот почему необходимо учитывать наличие разных типов учащихся и использовать разные стратегии и тактики.

Что нужно, чтобы учащиеся успешно изучали иностранный язык

Необходимо выработать *автоматический навык в речи*. Его можно получить только в результате многократного повторения. Психологами установлено, что для запоминания на уровне автоматизма слово необходимо употребить и услышать в среднем 12—24 раза (при средних способностях учащихся).

Эффективное обучение — это прежде всего система, т. е. комплекс элементов, работающий сообща и учитывающий *свойства человеческой памяти и психологии.*

Основной залог успеха — *эмоциональная вовлеченность студента*: образность, необычность, юмор, тематическая связь, разнообразие приемов, интересная информация, а также вовлеченность студентов в деятельность. Все это увеличивает заинтересованность студентов.

СТИЛИ ОБЩЕНИЯ И ОБУЧЕНИЯ

ДАВАЙТЕ ОБСУДИМ:

1. Все ли люди умеют общаться?
2. Если человеку трудно общаться на родном языке, будут ли у него трудности в общении на иностранном?
3. Что вы знаете об экстра- и интровертности? Вы встречали экстравертов и интроветов среди ваших учеников?

Типы и стили общения[1]

Интроверты и экстраверты. Все ли люди одинаково легко начинают общение? Конечно, нет. По типу общения люди условно могут быть разделены на **интровертов** и **экстравертов**. Одни легко включаются в общение, часто становятся лидерами в разговоре, — им не трудно первыми начать разговор или познакомиться с другим человеком. Это экстраверты. У таких людей много знакомых, приятелей. На занятиях для них нужны самостоятельность, творческие задания.

Иное дело — интроверты. Они не активны в общении, больше отмалчиваются, не берут на себя инициативу в общении, им трудно начать знакомство с другим человеком, на вопросы они чаще дают односложные ответы. Им нравятся занятия, где меньше надо принимать самостоятельных решений, где меньше активных действий. Им нравятся хорошо и четко организованные уроки с детальным объяснением преподавателя.

Управление общением экстравертов и интровертов

1. Помните, что интровертов нужно окружать заботой и вниманием, не вторгаться в личные стороны их жизни, не ставить лидером в групповых занятиях и т. п.

Учитывая это, как бы вы организовали общение экстравертов и интровертов на темы «Мое свободное время», «Что я люблю читать?».

2. Определить экстравертность/интровертность учащихся, можно, анализируя речевое поведение: скованность, раскрепощенность при разговоре со знакомыми и незнакомыми людьми, речевой статус ученика, круг речевых партнеров, поведение в привычной и непривычной обстановке, готовность обсуждать личные дела и т. п. Можно дать анкету, выясняющую экстравертность/интроверность учащихся.

Коммуникативный и некоммуникативный тип

Пути овладения иностранным языком различны. Каждый учащийся выбирает свою дорогу изучения языка. Психологи обнаружили два основных типа овладения языком — коммуникативный и

---

[1] См. А. А. Леонтьев. Некоторые проблемы обучения русскому языку как иностранному (психологические очерки). М., 1970.

некоммуникативный или «интуитивно-чувственный и рационально-логический».

В каждом коллективе часть учащихся предпочитает некоммуникативный путь изучения языка. Это значит, что эти учащиеся больше склонны к анализу языкового материала, к выявлению логико-грамматических закономерностей в языке, к сознательному заучиванию правил, речевых образцов, текстов, чем к общению на иностранном языке.

Коммуникативный тип людей наоборот более активен в общении на иностранном языке. Они предпочитают интуитивный путь изучения языка, успешно работают, когда внимание направлено не на сам процесс обучения, а на его содержательную сторону. Эти учащиеся широко используют языковую догадку, легко прогнозируют развитие сюжета общения, приспосабливаются к партнерам по общению, они любят групповые задания, игры и т. п.

Преподаватель должен таким образом строить свою работу, чтобы удовлетворять ожидания как первого, так и второго типа учащихся.

Как помочь учащимся выразить замысел высказывания, преодолеть коммуникативные затруднения

Если учащимся не хватает слов, если они не знают, как поступить в ситуации общения, их надо научить искать выход из коммуникативного тупика, например перестраивать на ходу фразы, выражать замысел высказывания синонимическими средствами, жестами, обращаться за помощью к авторитету или искать взаимопонимание вместе с речевым партнером.

Стили обучения учащихся[1]

В последние годы в методической литературе все чаще встречаются ссылки на исследования в области когнитивной психологии.

Цель применения исследований в области когнитивной психологии к преподаванию и изучению иностранного языка состоит в том, чтобы определить способы обучения учащихся стратегиям усвоения и запоминания, а также создать технологию отбора текстов и составления заданий, оптимальных для каждого учащегося.

---

[1] См. О. Каган. Теория и практика написания личностно-ориентированного учебника русского языка как иностранного / Канд. дис. М., 1997.

Хотя обращение к стилям обучения каждого ученика — нелегкая задача, но это наиболее эффективный способ обучения.

Можно отметить такие основные факторы, которые делают когнитивную теорию особенно важной для преподавания: а) активная роль учащегося в обучении; б) понимание индивидуальных особенностей учащихся; в) предыдущие знания и предыдущий опыт учащегося.

Что же знает учащийся? Учащийся располагает знанием родного языка, некоторым знанием (возможно, неправильным с лингвистической точки зрения) того, какова природа языка и как происходит обучение языку, и внелингвистическими глобальными знаниями о мире. Учащийся также располагает определенным аппаратом самообучения, стратегиями обучения, которые индивидуальны и пригодны лишь для него. Некоторые учащиеся интуитивно знают, «как учиться и как выучить», другие этого не знают. Первых мы называем «хорошими» учениками, последних — «плохими». Однако разделение на «хороших» и «плохих», «способных» и «неспособных» не дает преподавателям истинного понимания способностей учащихся. Благодаря исследованиям когнитивной психологии меняется отношение к способностям учащихся и появляется возможность понять, как надо учить каждого учащегося, чтобы обучение было оптимально эффективным именно для него.

Перечислим наиболее важные когнитивные черты, которые могут быть учтены при определении стратегий усвоения и обучения, а также при отборе видов текстов и упражнений для личностно-ориентированного преподавания[1].

Способности студента характеризуют следующие параметры.

1. **Общие интеллектуальные** способности (унаследованные и приобретенные).

2. **Первичные интеллектуальные способности** (скорость восприятия, способность к словесному выражению, скорость и глубина интерпретации, пространственное мышление, память, индуктивное мышление).

3. **Когнитивные типы:**

— зависимость от контекста (контекстно зависимый, глобальный и контекстно независимый);

---

[1] Исследования Д. Йонассена и Б. Грабовки (1993), Б. Ливер и Р. Оксфорд (1995), Гилд и Гаргер (1985), а также классификации Хилла, Колба, Грегорка, Грейша-Райхмана, Данна — работы всех упомянутых здесь авторов перечисляются в библиографии в конце книги.

— когнитивная гибкость;

— когнитивная скорость (склонность к рефлексии или к импульсивности);

— сосредоточенность (разброс/фокусирование);

— способность к обобщениям/категоризациям;

— когнитивная сложность/простота (восприятие окружающей среды, способность к оценке, анализу, прогнозированию);

— сильная/слабая автоматизация (степень автоматизации выполнения повторяющихся задач).

4. **Когнитивные предпочтения** при сборе информации:

— зрительный;

— слуховой;

— соматосенсорный (тактильный или моторный).

5. **Когнитивные стили** при организации информации:

— последовательный;

— выборочный;

— холистический, глобальный;

— концептуальный (вычленяют основную идею);

— усредненный (игнорируют детали, различия);

— усилительный (запоминают детали, различия);

— восприятия по сходству;

— восприятия по контрасту;

— абстрактный;

— конкретный;

— индуктивный;

— дедуктивный;

— рефлективный;

— импульсивный.

6. **Сенсорные предпочтения** (типы памяти) при удержании и воспроизведении информации, развития:

— зрительная память;

— слуховая;

— рукописная;

— звуковоспроизводящая;

— кинестетическая;

— осязательная (тактильная).

7. **Доминантность полушария:**

— левополушарный (склонность к анализу);

— правополушарный (склонность к синтезу / глобализации).

8. Аффективный тип при взаимодействии с учебным процессом из перечисленных ниже категорий проявляется на шкале «стабильный / нестабильный»:

— беспокойство;

— переносимость специфических (изолированных от реальной жизни) условий;

— терпимость к неопределенности;

— терпимость к разочарованию;

— границы личности: угроза своему «я».

9. Личность: типы ожидания и мотивации.

Выраженность данного качества:

— область контроля;

— мотивация к достижению цели (внутренняя / внешняя);

— когнитивные компоненты: самооценка, уверенность / отсутствие уверенности, желание успеха.

Личные характеристики на шкале:

— интровертность;

— экстравертность;

— склонность к риску;

— осторожность.

10. Фоновые знания:

— предварительные знания: о мире; своих сильных и слабых сторон; своих учебных стратегий; о языке вообще; предмета;

— понимание структуры предмета.

11. Чувствительность к окружающей среде:

— шум;

— свет;

— температура;

— физический комфорт;

— расположение и оформление аудитории;

— потребность в еде и питье.

ТИПЫ УЧАЩИХСЯ И СТРАТЕГИИ ОБУЧЕНИЯ

Выделим из приведенного списка лишь те *характеристики*, которые нам представляются *наиболее существенными в преподавании*.

Когнитивные типы. Зависимость или независимость от контекста может быть описана следующим образом.

1. *Контекстно независимые учащиеся* легко анализируют материал и усваивают его с помощью таблиц и графиков, списков слов.

2. *Контекстно зависимые учащиеся* лучше усваивают материал в контексте, любят догадываться о значении слов, а не смотреть в словарь, грамматические таблицы не помогают им понимать и усваивать материал.

Б. Ливер и Р. Оксфорд[1] предлагают следующий тест для определения контекстной зависимости.

Вспомните, любите (любили) ли вы решать кроссворды, ребусы, разгадывать картинки, на которых «спрятаны» фигуры. Если такие игры вам нравятся и вам легко их решать, вы скорее всего контекстно независимы. Если не любите — контекстно зависимы.

Традиционные учебники предлагают большое количество упражнений для контекстно независимых учащихся: заполнение пропусков, манипуляции отдельными лингвистическими формами, перевод предложений. Для контекстно зависимых учащихся можно ввести разнообразные тексты для чтения, объяснения грамматики с примерами в контексте, переводы связных рассказов абзацной длины. Фоновые знания этих учащихся можно активизировать, если грамматические объяснения построить на знании родного языка и начинать с описания родного языка.

3. *Когнитивная гибкость* проявляется в умении учащегося сосредоточиться и не отвлекаться от задачи, в сопротивлении новому или готовности экспериментировать. Учащимся, обладающим большой когнитивной гибкостью, следует предлагать более творческие задания, упражнения, ограниченные временем выполнения, и задачи с усложненными условиями. Учащимся с меньшей когнитивной гибкостью полезнее повторять и заучивать материал, выполнять четко сформулированные задания, работать с другими учащимися.

4. *Когнитивная скорость* определяет, сколько времени нужно учащемуся на выполнение задания. Учет этой категории важен для организации работы в аудитории и дома: выполнение одного и того же задания занимает разное количество времени у разных учащихся.

5. *Когнитивные предпочтения при сборе информации.* Некоторые исследования показывают, что 40% учащихся имеют склонность к зрительному восприятию, 15% — к слуховому и 45% —

---

[1] См. библиографию в конце книги.

к соматосенсорному. Многие учащиеся обладают смешанными типами памяти и восприятия.

6. *Когнитивные стили при организации информации* обобщенно можно представить следующим образом.

1а. **Глобальный.** Учащимся с доминирующим правым полушарием должен быть представлен целостный образ — они хотят видеть всю картину языка до того, как смогут воспринять детали. Им нужны аутентичные материалы	1б. **Аналитический**. Учащимся следует предоставлять возможность самим искать объяснения, самим «доходить» до смысла. Они теряются в аутентичных материалах, им нужны упражнения, тексты, которые поддаются полной дешифровке
2а. **Абстрактный**. Нужны лекции и учебники.	2б. **Конкретный**. Не могут слушать лекции, им надо что-то делать самостоятельно, например проекты
3а. **Выборочный**. Не могут следовать расписанию, нуждаются в разнообразии	3б. **Последовательный**. Любят порядок, переходят от одного явления к другому, сначала выучив первое
4а. **Рефлективный**. Им нужно время	4б. **Импульсивный.** Не могут долго заниматься одной работой
5а. **Индуктивный.** Должны экспериментировать, не хотят запоминать правила, выводят их из контекста	5б. **Дедуктивный**. Любят правила, идут от правила к употреблению; хотят оставаться на комфортном уровне, где они все понимают
6а. **Восприятие по сходству**. Стараются найти сходства; с трудом усваивают различия в окончаниях	6б. **Восприятие по контрасту**. Стараются найти контрасты; не могут слушать быструю речь или читать аутентичный текст, так как ищут контраста в деталях

Сенсорные предпочтения
при удержании и воспроизведении информации

Чтобы определить сенсорные предпочтения, можно предложить учащимся такой тест.

Возьмем пять списков новых слов, по 25 слов в каждом. Учащимся предлагается выполнить следующие задания, каждое из которых занимает 15 мин.

Список 1. *Прочитайте несколько раз про себя слова, стараясь запомнить их. Через 15 мин. проверьте, сколько слов вы запомнили.*

Если учащийся запомнил больше всего слов при этом способе, у него выраженный зрительный стиль сенсорного предпочтения.

Список 2. *Слушайте записанные на пленку слова в течение 15 мин., останавливая пленку, если нужно. Проверьте, сколько слов вы запомнили.*

Если учащийся запомнит больше всего слов при этом способе, у него преобладает слуховой стиль.

Список 3. *Напишите каждое слово несколько раз. Проверьте, сколько слов вы запомнили.*

Если учащийся запомнил больше всего слов при этом способе, у него преобладает рукописный / тактильный стиль.

Список 4. *Проговаривайте слова вслух. Проверьте, сколько слов вы запомнили.*

Если учащийся запомнил больше всего слов при этом способе, у него преобладает звуковоспроизводящий стиль.

Список 5. *Перекладывайте карточки, на которых написаны слова, и делайте какие угодно физические движения (например, зарядку) в течение 15 мин. Проверьте, сколько слов вы запомнили.*

Если учащийся запомнил больше всего слов при этом способе, у него преобладает кинестетический стиль.

Как уже упоминалось выше, возможно также и смешение сенсорных предпочтений. Для определения комбинаций можно предположить варианты приведенного выше задания: 1) «Читайте и ходите по комнате»; 2) «Читайте и слушайте одновременно» и т. д.

Для того чтобы провести тестирование в аудитории, можно сократить количество слов и уменьшить время на запоминание слов каждого списка.

Исследования показывают, что учащиеся, которых обучали с учетом их сенсорных предпочтений, получали более высокие оценки при тестировании. В том случае, когда их обучали с использованием мультисенсорных методов (тактик) и приемов, начиная с того типа предпочтения, который им наиболее подходил, и постепенно подключая и другие модальности, оценки были еще выше (см. табл. 1).

Таблица 1

Типы упражнений с учетом сенсорных предпочтений

Сенсорные предпочтения	Типы упражнений
Зрительная память	На начальных этапах сочетать слушание с чтением сценария. Постепенно убирать визуальную поддержку
Слуховая память	Делать то же, постепенно убирая слуховую поддержку. Слушать кассеты с записью слов, песни и тексты на иностранном языке
Звуковоспроизводящая память	Хоровое повторение, элементы аудиолингвального метода, повторение вслух, разговор с самим собой
Соматосенсорная память: рукописная	Записывать то, что преподаватель пишет на доске. Учебники обычно содержат достаточно упражнений этого типа
Соматосенсорная память: кинестетическая	Разыгрывание сценок, элементы метода полной физической отдачи, игры в классе, работа в маленьких группах со сменой партнеров
Соматосенсорная память: тактильная	Обычно является дополнительным предпочтением. Запоминание по карточкам позволяет использовать осязание как дополнительный мнемонический прием. Надо много писать

Доминантность полушария

Левополушарные учащиеся предпочитают последовательную вербальную организацию материала, идут от деталей к общему, предпочитают аналитический подход к решению задач.

Правополушарные учащиеся предпочитают общую картину, холистическую организацию материала и учебного процесса, визуально ориентированы. Они предпочитают синтетический подход к решению задач.

Для определения доминантости полушария учащимся можно предложить следующий тест. Подумайте, что они лучше запоминают: имена (левополушарный) или лица (правополушарный). Если больше интересует математика и точные науки, у них более развито левое полушарие, если искусство и гуманитарные науки — правое.

При развитом **левом полушарии** учащийся легко запоминает слова и грамматику, анализирует лингвистические системы и разбирает слова на части. Боязнь ошибиться часто мешает левополушарным учащимся говорить на иностранном языке.

При развитом **правом полушарии** очевидны слуховые способности, восприятие общей картины в ущерб деталям. Учащиеся с доминацией этого полушария говорят много и охотно, но со многими грамматическими ошибками. Представляется, что им можно рекомендовать создать свой контекст для лишенных контекста грамматических упражнений и уделять внимание деталям при чтении и правописанию при письме, а также предложить следующие типы заданий с учетом доминантности полушария (см. табл. 2).

Таблица 2

Типы заданий с учетом доминантности полушарий

Доминантность левого полушария	Доминантность правого полушария
Словарь. Чтобы увеличить словарный запас, учащиеся должны выделять корни, заучивать однокоренные слова	*Словарь*. Чтобы увеличить словарный запас, надо читать, употреблять новые слова в своих сочинениях, вести дневник
Грамматика. Составлять собственные таблицы, постепенно их расширять, пока не получится общая картина	*Грамматика*. Учащийся может пропускать грамматические объяснения, но должен стараться понять структуру самостоятельно и только после этого свериться с объяснениями

Аффективный тип личности

Существенной представляется мотивация, определяющая интересы учащихся. Если учесть, что общение в коммуникативно ориентированной аудитории проходит между учащимися, их отношения между собой имеют непосредственное влияние на успех индивидуальных членов группы. Приведем те стратегии, которые могут быть эффективно включены в систему текстов и упражнений личностно-ориентированного преподавания: 1) показать учащимся сходства, а не только различия между их культурой и культурой изучаемого языка; 2) постоянно обращать их внимание на то, что они **умеют** уже выразить на изучаемом языке; 3) использовать аутентичные материалы, чтобы увеличить привлекательность языка; 4) предоставить учащимся возможность выбора материалов; 5) давать задачи / проблемные ситуации, решение которых представляет для учащихся интерес.

Аффективный тип и чувствительность к окружающей среде подчеркивают важность расположения внутри аудитории, выделения диады, триады, групповых и индивидуальных заданий. Полезно применение разнообразной организации урока: в дополнение к хорошо известным делениям группы на диады и триады, можно предложить разделения на «групповую работу сидя», «групповую работу с передвижением по аудитории». Наблюдения преподавателя за реакцией отдельных учащихся на эти задания (например, нежелание ходить по аудитории или энергичное участие в такого рода упражнениях) помогают определить, какие типы групп оптимальны для данных учащихся.

Как определить типы учащихся

Для определения типов учащихся существует целый ряд тестов. Тем не менее специалисты в области когнитивной педагогики рекомендуют использовать наблюдения в аудитории в связи с тем, что тестирование занимает много времени и дает результаты, требующие детального анализа специалистами. Стоит, однако, рекомендовать использование тестов хотя бы для того, чтобы и у преподавателя, и у учащихся выработалось понимание индивидуальных стилей обучения и усвоения. Наблюдение же всегда является неотделимой частью процесса обучения. Но наблюдение не приведет к желаемым результатам, если преподаватель не знает, какие признаки выделить и как интерпретировать поведение и реакции студентов. Следующая таблица поможет вам определить некоторые типы памяти учащихся (см. табл. 3).

Таблица 3

Определение типов памяти

Признаки	Тип памяти	Рекомендации
Учащийся смотрит в потолок	Зрительный	Все материалы должны быть написаны. При работе над слушанием можно первоначально дать написанный текст записи. Постепенно убирать визуальную поддержку. Преподаватель должен постоянно писать на доске и поощрять учащихся записывать
Учащийся готовится к занятиям и одновременно слушает музыку	Слуховой	Просмотр видеофильмов и прослушивание аудиокассет. «Озвучивание» текста для чтения. Постепенно убирать слуховую поддержку. Устные объяснения в дополнение к объяснениям в учебнике
Учащийся не может сидеть спокойно, меняет позы	Соматосенсорный	Игры и соревнования. Группы с переменным составом. Проекты. Задания, которые требуют передвижения по аудитории, например интервью
Шевелит губами при чтении и слушании	Звукоподражательный	Занятие в лаборатории
Записывает все, что говорит преподаватель	Рукописный	Давать задания писать сочинение, вести дневник
Игнорирует объяснения в учебнике, начинает с примеров, делает свои (возможно, неправильные) выводы	Глобальный, холистический	Дать возможность приходить к собственным выводам

Окончание

Признаки	Тип памяти	Рекомендации
Жалуется, что в учебнике недостаточно примеров	Контекстно зависимый	Дать дополнительные примеры, лучше всего ситуативные
Выучивает наизусть таблицы, может склонять, спрягать, но с трудом разбирается в длинном тексте	Контекстно независимый	Постепенно давать больше текстов, вводить ситуации в устную практику
Предпочитает неяркий свет, но громкий звук	Правополушарный	Задания глобального типа, проекты, большое количество текстов
Предпочитает яркий свет, но отсутствие звука	Левополушарный	Задания аналитического типа

При подготовке к занятиям можно учитывать категории, приведенные в табл. 4.

Результатом понимания индивидуальных и групповых особенностей аудитории являются *стратегии усвоения и обучения*, т. е. меры, которые предпринимают сами учащиеся для того, чтобы усвоение было эффективным. Можно назвать следующие причины для введения стратегий в программу обучения.

1. Те учащиеся, которые умеют вычленить новую информацию и сознательно соотнести ее со своими предыдущими знаниями, создают больше когнитивных связей, которые помогают им удерживать информацию.

2. Стратегиям можно научить. Те учащиеся, которые научены пользоваться стратегиями, эффективнее организуют собственное обучение.

3. Стратегии, применяемые для выполнения одной задачи, могут быть успешно использованы или модифицированы для новых задач.

4. Изучение языка в академических условиях становится более эффективным, благодаря стратегиям усвоения, удержания информации в памяти и извлечения ее из памяти. Если стратегии являются неделимой частью упражнений, «встроены» в учебный процесс, учащиеся в самом процессе обучения присваивают те стратегии, которые им наиболее подходят.

Таблица 4

Задания с учетом типов памяти и сенсорных предпочтений

Сенсор-ные пред-почтения	Контекстно зависимый тип памяти	Контекстно независимый тип памяти	Последователь-ный / аналитиче-ский тип памяти	Глобальный / синтетический тип памяти
Зритель-ный тип	Тексты для чтения; введе-ние грамматики в ситуаци-ях; ситуативные упражне-ния для закрепления грам-матики; переводы абзацев; использование текстов как модели общения	Таблицы, манипуляции грамматическими форма-ми; письменные переводы предложений; использо-вание текстов как языко-вых и речевых моделей	Описание грам-матики, приве-дение примеров, ситуаций с чет-ким обозначени-ем ролей	Тексты как начальный этап введения матери-ала; ситуации с широ-ким сценарием; письмо с целью самовыраже-ния, ведение дневника, ответы на письма
Слухо-вой тип	Использование видеофиль-мов, аудиокассет, стихов, песен	Запись на пленку списков слов, упражнений, моде-лей; лабораторные рабо-ты по грамматике; запись отдельных пропущенных в учебнике слов и выра-жений, заполнение таб-лиц во время слушания	Упражнения на слушание четко обозначенной целью; запись отдельных про-пущенных слов и выражений	Упражнения на слуша-ние с ответом на вопрос «О чем идет речь?», с просьбой суммировать услышанное
Сомато-сенсор-ный тип	Задания невербального ха-рактера, например нарисо-вать план, карту, картинку по письменному или звуча-щему тексту; обмен пись-мами в аудитории; движе-ния по аудитории; ритмиче-ские детские стихи и песни	Игры для работы над грамматическими форма-ми, например игры с мя-чом, движение по аудито-рии	Разбор грамма-тических правил в парах	Письменные упражне-ния, ведение дневника, ответы на письма; ра-зыгрывание ситуаций перед аудиторией

Рассмотрим стратегии, которые способствуют приобретению знаний и умений, сохранению материала в памяти и извлечению материала из памяти.

1. Приобретение знаний и умений — когнитивная стадия, на которой учащийся приобретает декларативные знания.

2. Сохранение материала в памяти — ассоциативная стадия, на которой декларативные знания постепенно превращаются в продуктивные.

3. Извлечение материала из памяти — автономная стадия, когда ошибки исчезают и языковое или коммуникативное действие становится автоматическим.

Стратегии приобретения знаний и умений

1. Желание найти подтверждение тому, что введенный материал правильно понят.

2. Стремление прояснить или проверить правильность, уместность коммуникации.

3. Использование догадки, предположения.

4. Применение фоновых знаний.

5. Связь новой информации с ситуацией, действиями, событиями.

6. Различение главных и второстепенных опорных единиц.

7. Дедуктивные стратегии выведения правила, обнаружения регулярности.

8. Синтез языковой и коммуникативной системы.

Стратегии сохранения материала в памяти

1. Группировка слов на основании фонетического, семантического, визуального, слухового или кинетического принципа.

2. Использование ключевых слов.

3. Использование списков, карточек и пр.

4. Создание личных контекстов запоминания.

5. Повторение и воспроизведение.

Стратегии извлечения материала из памяти

1. Репетирование в большом количестве возможных ситуаций.

2. Сознательная опора на выученные правила.

3. Конструирование вопросов и ответов.

4. Социальные стратегии, ведущие к получению обратной связи, стимуляции общения, просьбы повторить, перефразировать, создание ситуаций для общения.

Как же включить стратегии в процесс обучения? Рассуждения об этом можно найти у многих авторов. Р. Оксфорд (1990) предлагает наиболее широкую и полную классификацию, перечисляя 80 стратегий. Она разделяет их на две большие группы: прямые и косвенные стратегии.

1. **Прямые стратегии** (стратегии памяти, когнитивные, компенсационные).

Стратегии памяти: создание ментальных связей, создание образов и звуков, повторение, действие.

Когнитивные стратегии: тренировка, получение и посылание сообщений, анализ и обдумывание, создание структур для ввода и вывода информации.

Компенсационные стратегии: разумная догадка, преодоление препятствий при письме и говорении.

2. **Косвенные стратегии** (метакогнитивные, эмоциональные, социальные).

Метакогнитивные стратегии: умение сосредоточиться, планировать свою деятельность и оценивать результаты.

Эмоциональные стратегии: понижение беспокойства, самопоощрение, измерение эмоциональной температуры.

Социальные стратегии: умение и желание задавать вопросы, сотрудничать, сочувствовать другим людям.

Новым в современном подходе к обучению является то, что методисты и авторы учебников обращаются непосредственно к учащемуся, минуя преподавателя. Если целью преподавания является автономность учащегося в дальнейшем обучении, сам учащийся должен знать, как лучше учиться. Дж. Рубин и И. Томпсон (1982) предлагают самому учащемуся выбрать стратегии обучения и усвоения, наиболее подходящие для него. Они выделяют 14 стратегий и обращаются непосредственно к учащемуся, употребляя повелительное наклонение. Вот некоторые стратегии, которые они предлагают: 1. Прояви индивидуальность. 2. Организуй свое обучение. 3. Прояви творческие способности. 4. Научись справляться с неуверенностью. 5. Учись на своих ошибках. 6. Используй контекст.

Мы предлагаем такую таблицу стратегий обучения в зависимости от некоторых когнитивных характеристик (см. табл. 5).

Таблица 5

Стратегии обучения с учетом когнитивных характеристик

Когнитив-ные характе-ристики	Оптимальные стратегии
Контекстно независи-мый	1. При приобретении знаний: дедуктивные стратегии выведения правила, обнаружения регулярности (на уровне слов, отдельных предложений) 2. При сохранении знаний: тренировка, анализ, создание структур (например, таблиц) для вывода и тренировки информации, использование списков, карточек; повторение и воспроизведение 3. При извлечении знаний: сознательная опора на выученные правила
Контекстно зависимый	1. При приобретении знаний: связь новой информации с ситуацией, событиями, фоновыми знаниями 2. При сохранении знаний: создание ментальных связей, догадка; использование социальных стратегий и ключевых слов; создание личных контекстов запоминания 3. При извлечении знаний: репетирование в большом количестве возможных ситуаций
Последова-тельный аналитиче-ский	1. При приобретении знаний: дедуктивные стратегии; различение главных и второстепенных опорных единиц 2. При сохранении знаний: группировка слов на основании фонетического, семантического, визуального, слухового или кинетического принципа; повторение и воспроизведение 3. При извлечении знаний: сознательная опора на выученные правила
Глобальный синтетиче-ский	1. При приобретении знаний: применение фоновых знаний, синтез лингвистической и дискурсивной систем 2. При сохранении знаний: эмоциональные стратегии; создание личных контекстов запоминания 3. При извлечении знаний: социальные стратегии, ведущие к получению обратной связи, стимуляции общения, просьбы повторить, перефразировать, создание ситуаций для общения

Короткий тест для определения когнитивных предпочтений[1]

Время 10 минут

Инструкции: В каждом разделе обведите одну цифру, которая лучше всего описывает ваш способ запоминания. Отвечайте быстро, не думая долго над каждым пунктом.

0 — никогда; 1 — иногда; 2 — очень часто; 3 — всегда

А. Сенсорные предпочтения

А 1

1. Во время занятий я много записываю   0   1   2   3
2. Посторонний шум меня раздражает, когда
   я занимаюсь   0   1   2   3
3. Читая, я подчеркиваю   0   1   2   3
4. Я лучше понимаю, что люди говорят, когда
   я на них смотрю   0   1   2   3
5. Я запоминаю слова и тексты зрительно   0   1   2   3

А 2

1. Я лучше запоминаю, если слушаю кассеты,
   чем когда читаю   0   1   2   3
2. Я люблю заниматься под музыку   0   1   2   3
3. Я с удовольствием говорю по телефону   0   1   2   3
4. Я запоминаю, о чем люди говорят, но не как
   они выглядят   0   1   2   3
5. Я легко узнаю людей по голосам   0   1   2   3

А 3

1. Я шевелю губами, когда читаю про себя   0   1   2   3
2. Я начинаю нервничать, если долго сижу
   неподвижно   0   1   2   3
3. Я лучше думаю, когда я двигаюсь   0   1   2   3
4. Мне нужны частые перерывы в работе   0   1   2   3
5. Я не читаю объяснений, а стараюсь
   догадаться, что надо делать   0   1   2   3

---

[1] При составлении теста были использованы работы следующих авторов: Р. Оксфорд (1993); Б. Ливер (1993); Д. Кирси, М. Бейтс (1984); О. Крогер, Й. М. Тусен (1988). Ссылки на эти работы приведены в концекниги.

Сложите все результаты из **А 1**. Итог _____ [зрительная память]
Сложите все результаты из **А 2**. Итог _____ [слуховая память]
Сложите все результаты из **А 3**. Итог _____ [соматосенсорная память]

Наибольший результат показывает сенсорное предпочтение учащихся.

Б. Тип общения

Б 1

1. У меня часто звонит телефон	0	1	2	3
2. Я легко запоминаю имена	0	1	2	3
3. Я страдаю от одиночества	0	1	2	3
4. Я с удовольствием и допоздна засиживаюсь в гостях	0	1	2	3
5. Я часто разговариваю с людьми на улице, в магазине	0	1	2	3

Б 2

1. Когда много народу, я устаю	0	1	2	3
2. Я с трудом запоминаю имена новых знакомых	0	1	2	3
3. Мне трудно говорить с незнакомыми людьми	0	1	2	3
4. Я предпочитаю заниматься в одиночестве	0	1	2	3
5. Окружающие считают меня малообщительным	0	1	2	3

Сложите все результаты из **Б 1**. Итог_____ [экстраверт]
Сложите все результаты из **Б 2**. Итог_____ [интроверт]

Наибольший результат показывает ваше предпочтение в общении.

В. Стиль мышления: склонность к глобальному/синтетическому или аналитическому, последовательному восприятию

В 1

1. Я игнорирую детали, которые мне кажутся лишними	0	1	2	3
2. Я не замечаю опечаток в тексте	0	1	2	3
3. Я легко перефразирую других	0	1	2	3
4. Я быстро схватываю суть	0	1	2	3
5. Я плохо помню даты и конкретные события	0	1	2	3

В 2

1. Мои конспекты и записи лекций подробны	0	1	2	3
2. Перед тем как написать сочинение, я пишу план	0	1	2	3
3. Я обращаю внимание на различия скорее, чем на сходства	0	1	2	3
4. Я люблю знать детали	0	1	2	3
5. Я хорошо запоминаю даты и конкретные события	0	1	2	3

Сложите все результаты из **В 1**. Итог _____ [глобальный тип восприятия]

Сложите все результаты из **В 2**. Итог _____ [аналитический/ конкретный]

Наибольший результат показывает стиль мышления учащихся.

Г. Зависимость или независимость от контекста

Г 1

1. Я внимательно изучаю таблицы	0	1	2	3
2. Я учу слова списками	0	1	2	3
3. Не люблю догадываться о значении слов, смотрю в словарь	0	1	2	3
4. Люблю решать кроссворды и ребусы	0	1	2	3
5. Я люблю абстрактное искусство	0	1	2	3

Г 2

1. Читая на иностранном языке, хочу знать каждое слово	0	1	2	3
2. Не умею решать кроссворды	0	1	2	3
3. Мне не нравится абстрактное искусство	0	1	2	3
4. Люблю готовить только те блюда, которые уже пробовала	0	1	2	3
5. Я склонен / склонна к ассоциативному мышлению	.0	1	2	3

Сложите все результаты из **Г 1**. Итог _____ [контекстно независимый]

Сложите все результаты из **Г 2**. Итог _____ [контекстно зависимый]

Наибольший результат показывает стиль мышления учащегося.

Практика преподавателя

✓ *Задание. Ответьте на вопросы и обсудите свои ответы.*

1. Какими приемами и способами повышения интереса учащихся вы пользуетесь? Почему?
2. Как определить труден или легок для учащихся тот или иной учебный материал?
3. От каких субъективных моментов зависит понимание и усвоение материала?
4. Одни методисты доказывают, что на уроке иностранного языка все надо объяснять, другие — что нужно поменьше объяснять, побольше говорить. Что лучше?
5. Есть сторонники устного предъявления материала. Как вы к этому относитесь?

УЧИТЕЛЬ — ПРОФЕССИЯ ТВОРЧЕСКАЯ

ДАВАЙТЕ ОБСУДИМ:

1. Что, по вашему мнению, особенно трудно для начинающего преподавателя?
2. Какие качества преподавателя привлекают учащихся, а какие отталкивают?
3. Обсудите анкету.

РЕКОМЕНДАЦИИ НАЧИНАЮЩЕМУ ПРЕПОДАВАТЕЛЮ

В копилке разных методов появилось много рекомендаций, выделим важнейшие для преподавания иностранного языка.

1. Преподавателю необходимо быть *точным,* пунктуальным. Распущенность подрывает доверие к нему. Доверие к преподавателю вызывают такие качества, как ответственность, собранность, последовательность.

2. Студентов всегда привлекает *творческий* подход преподавателя, его заинтересованность в работе, стремление внести что-то новое в аудиторию.

3. Преподаватель должен быть *доброжелательным* ко всем учащимся, но в то же время избегать панибратства. Доброжелательность выражается в умении выслушать собеседника, не обижать его, даже если учитель не соглашается с мнением учащегося.

4. *Деликатность* — качество очень важное для преподавателя.

5. *Справедливость* в оценке знаний и умений учащихся.

6. Меньше учителя — больше ученика. Старайтесь сделать все, чтобы говорили больше ученики, а не вы.

В методике суггестопедии есть кодекс правил для преподавателя. Эти правила помогают многим преподавателям найти себя в аудитории.

Правило 1

Подготовка к уроку. Готовясь к занятию, задавайте себе пять вопросов.

• **Что?** Какой материал я буду давать? Например, сегодня будет текст для чтения на странице...

• **Как?** Какими приемами я буду пользоваться. Например, план работы над текстом будет такой:

— Прочитайте заголовок. Как вы думаете, о чем будет текст?

— Прочитайте первые абзацные фразы. Что вы узнали о содержании текста?

— Читаем (сначала про себя, потом вслух) каждый абзац внимательно. Анализируем. Записываем незнакомые слова.

• **Зачем** (для учителя)? Какую цель я ставлю? Формулировать ее так: в какое речевое действие выйдут студенты?

1. Развивать **прогнозирование**, которое помогает в чтении (по заголовку судить о содержании).

2. Развивать **догадку**: видеть в тексте знакомые слова, игнорируя незнакомые, и догадываться о содержании (чтении абзацных фраз).

3. а) Чтение вслух («проговаривание») дает мне возможность контролировать умения **«озвучивать»** текст. Тренирует артикуляционный аппарат студента.

б) Чтение про себя тренирует у студента способности вникать в **содержание текста**.

4. Работа над лексикой — **обогащение** словаря студентов, развитие способностей понимать слово: а) по контексту; б) с учетом состава слова.

• **Для чего** (для учащихся)? Какая цель ставится перед студентами? Познакомиться с содержанием текста, чтобы потом обсудить эту проблему.

• **Чему** студенты научатся, в какие речевые действия смогут выйти?

⟹ Вывод

Готовясь к уроку, задавайте себе пять вопросов:

1. Что я буду давать? — материал
2. Как я буду давать? — приемы
3. Зачем я буду это делать?
4. Для чего студент это делает?
5. Какое речевое действие студент сможет выполнить?

Правило 2

Планирование времени. При подготовке к уроку важно распланировать время и следить за этим на уроке. Планирование предполагает постоянное наличие следующих частей урока:

— личностное общение — вход и контакт преподавателя и учащихся;

— аудирование — небольшие задания на развитие восприятия языка на слух;

— обязательное говорение студентов (диалоги, монологи, полилоги);

— объяснение нового материала учителем;

— развитие навыков чтения;

— фрагменты урока для снятия напряжения (фонетическая зарядка, игра);

— страноведческая информация (что нового о стране узнали студенты).

⟹ Вывод

Планируйте время! Следите за временем на уроке, меняя формы работы.

Правило 3

Когда вы идете на урок, настраивайте себя на положительное восприятие аудитории. Ведь именно так мы идем в гости, в театр, на концерт — с установкой, что будет интересно.

⟹ Вывод

Идя на урок, думайте: «Я иду к интересным людям!»

Правило 4

С первой минуты на уроке нельзя терять времени на «раскачивание». Держать темп урока с первой минуты и весь урок.

Вывод

Динамизм с первой и до последней минуты урока.

Правило 5

Уделите внимание каждому учащемуся в аудитории, охватите вашим вниманием каждого ученика: вопросом, взглядом, жестом.

Вывод

В течение урока обязательно войдите в личностное общение с каждым учащимся.

Итак, основные рекомендации:

1. На занятии будьте в хорошем настроении. Постоянно вызывайте у учащихся заинтересованность.

2. Уделите внимание каждому учащемуся.

3. Вносите в аудиторию динамизм, оживление, рабочий ритм.

4. Управляйте настроением всех учащихся.

5. Завладевайте вниманием аудитории.

6. Готовясь к занятию, задайте себе вопросы: *Что я буду давать на занятии (какой материал)? Как он будет подаваться? Зачем я буду давать то или иное задание? Для чего будет выполнять учащийся то или иное задание (мотивация учащихся)? Чему студенты научатся на этом занятии (какие знания, какие навыки, какие умения)?* Цель: *умение выйти в речевые действия.*

7. Давайте учащимся возможность самостоятельно общаться. Цель: *Умение выйти в речевые действия.*

ФУНКЦИИ ПРЕПОДАВАТЕЛЯ

Функции преподавателя многообразны и не сводятся (как иной раз кажется) к тому, чтобы объяснить новый материал и проконтролировать, как студент его выучил. Функции преподавателя иностранного языка можно представить в табл. 6 и 7.

Таблица 6

Функции преподавателя иностранного языка (пульт управления преподавателя)

Что?	Материал			Организация
Отбор, планирование в 4 видах деятельности	Способы работы. Виды упражнений	Зачем? Цели		
Аудирование Говорение Чтение Письмо	Введение материала. Объяснение (языковая компетенция)	Цели, которые ставит преподаватель (конечные, поурочные)		**Планирование всего урока.** Планирование частей урока. Распределение материала в курсе
	Отработка. Автоматизация речевого действия (речевая компетенция)	Цели, которые преподаватель формулирует для студента, для себя		Планирование **каждой части урока** в минутах. Последовательность частей урока
	Выход учащихся в самостоятельную деятельность			Виды работы, способствующие **общению на уроке и вне его**
				Разные типы **контроля** в 4 видах речевой деятельности и в 3 видах компетенции

Таблица 7

**Управление деятельностью студента
(опора на индивидуальные способности,
развитие способностей)**

Восприятие, понимание материала	Память (запоминание)	Использование разных ключей памяти	Внимание, интерес	Способности	Психологическое состяяние	Физическое состяяние
Индуктивные и дедуктивные приемы; наглядность, аргументация, самостоятельный анализ студентов	Аналитическая / механическая, моторная / зрительная / слуховая	Мнемоника, многократное повторение, эмоции, музыка, комментарий	Приемы работы, усиливающие интерес и внимание; информация, интересующая студентов	Учет разных способностей студентов — разные тактики и стратегии	Создание комфортной обстановки	Снятие физической усталости

Практика преподавателя

✓ *Задание. Ответьте на следующие вопросы и обсудите свои ответы.*

1. Не повторяете ли вы то, что говорят ученики, как эхо?
2. Не говорите ли вы все время «хорошо», когда отвечает ученик?
3. Не повторяете ли вы один и тот же вопрос?
4. Задаете ли вы вопрос чаще одному человеку или всей группе?
5. Задаете ли вы вопросы ряду студентов, стараясь опросить всех?
6. Не задаете ли вы слишком много вопросов?
7. Готовы ли вы ждать ответа?
8. Не работаете ли вы слишком часто с открытыми книгами?
9. Сколько времени вы говорите на уроке? Не много ли?
10. Как сидят ваши ученики?
11. Сколько времени вы даете ученикам на обдумывание ответа на вопрос?
12. Если ученик не может ответить, что вы делаете?
13. Находитесь ли вы все время в центре внимания учеников?
14. Не слишком ли много времени вы отводите на проверку домашней работы?
15. Даете ли ученику возможность выйти в свободную речь? Не прерываете ли его, исправляя его ошибки?
16. Учитываете ли вы разные способности учащихся?
17. Помогаете ли вы учащемуся запоминать нужный материал? Как?

УРОК. КАК ЕГО ПОСТРОИТЬ

ДАВАЙТЕ ОБСУДИМ:

1. *Что такое «хороший и плохой» урок?*
2. *Как планируется урок, из каких частей он состоит?*
3. *Что самое трудное в проведении урока?*
4. *В чем отличие уроков иностранного языка от уроков по другим предметам?*

УРОК ИНОСТРАННОГО ЯЗЫКА

Урок — это не только хорошо написанный конспект, не просто отобранный материал, это «педагогическое произведение». А если это произведение, то должно быть и хорошее знание правил организации урока, с одной стороны, и творчество — с другой. В уроке иностранного языка должны учитываться следующие моменты.

1. **Практическая ориентация.** Преподаватель должен знать, какими речевыми, языковыми умениями и навыками будут владеть учащиеся в конце каждого урока, т. е. что узнали студенты и в какое речевое действие они смогут выйти?

2. **Речевая направленность.** На уроке формируются навыки и умения общения. Коммуникативная направленность обучения — непременное условие обучения языку. В соответствии с этим отбирается и система упражнений. Их формулировка должна содержать коммуникативную задачу. Например, задание *Перескажите текст* не коммуникативное, так как простой, без цели, пересказ лишен речевой направленности. Речевая направленность всегда мотивирована. Человек всегда говорит ради какой-то цели: например, он пересказывает содержание статьи, так как собеседник не читал ее, но много о ней слышал и т. д.

3. **Наличие ситуативности.** Ситуация — это система взаимоотношений собеседников. Именно взаимоотношения собеседников побуждают их к определенным речевым поступкам, порождают потребность убеждать, опровергать, просить о чем-то, жаловаться и т. д. Очень важно включать студентов в работу в парах, тройках, группах с коммуникативным заданием.

4. **Функциональная направленность.** Изучать не язык сам по себе, а то, как он функционирует. Функциональность предполагает выдвижение на передний план содержания, а не формы. Например, объясняя особенности глаголов прошедшего времени, учитель говорит: «Если вы хотите рассказать о новостях, о том, чем вы занимались вчера, вам нужно употребить форму прошедшего времени». Другими словами, сначала формулируется функция — когда появляется необходимость употребления формы прошедшего времени, а потом уже дается сама форма.

5. **Речевая деятельность.** Важно, чтобы на уроках ставились речемыслительные задачи, которые необходимо разрешать, чтобы иностранный язык, как и родной, был средством коммуникации, чтобы через посредство иностранного языка учащийся получал информацию, как и через посредство родного языка. Вот почему важно подбирать тексты для чтения и аудирования информационно значимые, а для разговора предлагать проблемные ситуации.

Ремесло и вдохновение на уроке

Художнику, чтобы создать картину, недостаточно обладать талантом. Он должен владеть мастерством, в основе которого лежат знания о перспективе, композиции, о том, как смешивать краски, и т. п. То же и у учителя. Конечно, личность учителя всегда накладывает отпечаток на его мастерство, но есть такие «секреты» мастерства, которые должны быть достоянием каждого учителя. Это «секреты» учительского ремесла (в хорошем, исконном смысле слова).

Есть в труде учителя и вдохновение, и расчет: вдохновение основано на расчете, на четком знании конкретных правил и умений выполнять определенные действия. Иначе говоря, мастерство учителя немыслимо без знания технологии проведения урока.

⇒ Вывод

В технологию включаются следующие умения:
1) **рационально использовать время;**
2) **адекватно выбирать приемы;**
3) **правильно выполнять упражнения;**
4) **целесообразно объяснять осваиваемые действия;**
5) **использовать технические средства обучения, раздаточный материал, картины;**
6) **пользоваться индивидуальной, парной, групповой и хоровой формами работы.**

Без перечисленных умений (как и без многих других) учителю нечего ждать «производительности» своего труда.

Заглянем же в «учительскую кухню» и попытаемся увидеть, осмыслить и освоить основные «секреты» технологии учительского мастерства на занятии.

Как начать урок

Ответить на этот вопрос в принципе просто: начинайте как угодно, лишь бы начало урока выполняло свою главную функцию — вводило учащихся в атмосферу иноязычного общения. Не случайно используемый для этой цели вид работы называется **речевой зарядкой** — так начинает свои рекомендации преподавателю Е. Пассов в книге «Основы коммуникативной методики обучения иностранному языку».

Некоторые преподаватели считают, что вообще незачем тратить время на «разговоры» в начале урока. Они начинают с дела:

— *Так, приготовились. Слушайте внимательно.*

Такое начало возможно, но речевого контакта с его помощью не установишь. Памятуя о речевой направленности начала урока, другие преподаватели облекают начальные фразы, казалось бы, в речевую форму:

— *Сегодня мы поговорим с вами об осени* (о городе, о транспорте, о почте и т. п. в зависимости от темы).

Но это вступление только кажется речевым, по сути оно формальное. В реальном процессе общения разговор чрезвычайно редко начинается таким образом. Скорее всего, если на улице осенняя погода, мы, желая найти единомышленника или просто желая поделиться своими чувствами, скажем: *Ну и погодка! Это ж надо: второй день льет дождь. Нет, раньше климат был лучше...* Наше доверие к собеседнику обязывает и его платить тем же. Так возникает общение, контакт.

Установка на общение как элемент урока

Атмосфера общения, созданная вначале, должна поддерживаться в течение всего занятия. Основная роль в этом отводится установкам. Под ними понимаются такие действия преподавателя, которые связаны с побуждением к учению: инструкции, контроль, оценка и организация работы.

Войдем в аудиторию и послушаем, что и как говорит учитель, а попутно покажем, как это следовало делать.

1. — *Послушайте текст!* — говорит преподаватель и включает магнитофон. Когда слушание окончено, он спрашивает:

— *Все поняли?*

Нестройный хор учащихся дает понять, что текст не понят.

— *Тогда послушайте еще раз,* — вновь звучит «установка».

Так можно слушать до бесконечности, но пользы будет немного. Перед первым прослушиванием (прочтением) следовало бы поставить общую задачу, установку, связанную со смыслом текста. Например:

— *Прослушайте рассказ о Москве и скажите, что вы больше всего хотели бы увидеть там.*

Если предполагается включить материал текста в дальнейшую работу, то можно вернуться к записи, но перед повторным прослушиванием следует дать новую установку, причем так, чтобы она направляла внимание слушателей уже на детали содержания, например:

— *А теперь прослушайте и скажите, чем Москва отличается от Санкт-Петербурга (что общего и т. п.)?*

2. Начиная урок, преподаватель говорит:

— *Сегодня мы повторим слова к теме «Университет».*

Настроит ли такая задача учащихся на нужный лад? Нет. Следовало бы сказать так:

— *Сегодня вы научитесь рассказывать по-русски о своем университете.*

3. — *Я прочту рассказ, а вы поставьте к нему два вопроса.*

Каких именно? И почему два? А может быть лучше так:

— *Я прочту вам рассказ, а вы спросите меня о том, что вас интересует. Только не о том, что и так ясно из его содержания.*

4. Желая дать образец, преподаватель говорит:

— *Послушайте, как звучат повествовательное и вопросительное предложения.*

Мы обучаем речи, а не грамматике, поэтому и сказать надо бы иначе:

— *Послушайте, как говорят, когда хотят о чем-то спросить. А теперь послушайте, как надо ответить.*

5. Идет опрос. Учащиеся рассказывают о спорте. Один окончил рассказ.

— *Кто хочет еще отвечать?*

А может быть, лучше:

— *Кто хочет еще рассказать?*

Мелочь? Возможно. Но психологически важная мелочь: охотников отвечать всегда меньше, чем охотников рассказывать.

6. — *Какие новые глаголы вы прошли?* — спрашивает преподаватель в конце урока. Учащиеся перечисляют отдельные слова. Не лучше ли предложить:

— *А теперь давайте посмотрим, что вы уже можете сказать.*

Это было бы значительно полезнее, поскольку заставило бы учащихся высказаться на уровне фраз.

7. — *Слушайте внимательно!* — говорит преподаватель каждый раз, начиная очередной вид работы. Этот призыв звучит даже в процессе выполнения упражнений, но учащиеся отвлекаются. И неудивительно. Внимание собеседника завоевывается не подобными призывами, а логикой беседы, умением пробудить интерес к обсуждаемому.

Учитель и ученики как речевые партнеры

Когда преподаватель на уроке, разговаривая с учащимся, прежде всего сознает, что перед ним ученик, а учащийся ни на минуту не забывает, что перед ним педагог, их **общение, по сути дела, учебное,** они не видят друг в друге речевых партнеров, им неинтересно общаться друг с другом. В этом кроется существеннейший недостаток обучения говорению. Как от него избавиться?

Ощущение речевого партнерства зависит от разных факторов, прежде всего от того, в какой форме проводится беседа. Незаменимой формой организации общения является так называемая **парная работа** (работа в парах).

Преподаватели правильно видят ее ценность в том, что время говорения полностью отдается учащимся, развивается их самостоятельность. Но технология парной работы только кажется простой. Она требует учета многих моментов.

Во-первых, **не всякая пара — собеседники.** Не всегда можно механически разделить учащихся на пары. Пусть они иногда сами выберут себе собеседников, интерес к партнеру направит их внимание на выполнение задания.

Во-вторых, **нужно создать ситуацию общения**, дать правильную установку. Это уместно на занятиях по формирования навыков (лексических и особенно грамматических), при работе над текстом, при обучении диалогической речи.

Если парная работа используется часто, то групповая, коллективная, — редко. А зря. В группах из трех-четырех человек, подобранных с учетом их интересов, более живо может развернуться обсуждение каких-то вопросов. Этот вид работы уместен на занятиях по развитию речевого умения, при обсуждении прочитанного.

Найти в учащемся собеседника означает еще и правильно с ним общаться.

а) **Говорить естественно**, а не механически, заученно, все время обращать внимание на собеседника.

б) **Доводить прием до конца.**

Преподаватель дает учащимся установку: «Я буду вам показывать картинки или вещи, а вы попросите меня дать их вам»:

— *Вот интересная книга,* — говорит преподаватель.

— *Дайте нам эту книгу!* — реагирует учащийся, согласно установке.

Преподаватель... кладет книгу на стол и, не обращая внимания на недоумение учащегося, переходит ко второй реплике. Заинтересованность учащихся пропала: прием не был доведен до конца.

в) **Учитывать интересы собеседника.**

Если этого не делать, можно разрушить всякую речевую интенцию. Проводя беседу на тему «Мой рабочий день», преподаватель стал выяснять, во сколько учащиеся встают, завтракают, идут в университет и т. п., затем разделил группу на пары и предложил им самим поинтересоваться друг у друга тем же. Беседа получилась нудная. А ведь можно было обсудить, правильно ли один из учащихся проводит свой рабочий день, доказать, что именно так нужно планировать время, дать совет другому учащемуся, как организовать работу, попросить кого-либо объяснить, каким образом он успевает много сделать за день. Учащиеся проявили бы действительный интерес к теме и к словам своих собеседников.

г) **Быть искренним.** Формализм, безразличие убивают дух общения.

д) **Следить за выразительностью интонации, жестов, мимики,** это дает возможность лучше воздействовать на собеседника.

е) Уметь во время общения **двигаться**, стоять, сидеть: даже от позы собеседника зависит речевая настроенность партнера.

ж) **Быть доброжелательным:** учащийся должен чувствовать, что его интересы — это и интересы учителя. Доброжелательность полностью исключает раздраженность, насмешку по поводу ошибки, а тем более грубость и крик.

Общение — процесс двусторонний. Какими бы умениями общения ни обладал преподаватель, он не сможет добиться речевого партнерства, если учащиеся не будут обучены хотя бы элементарным правилам общения на уроке. Нельзя просто рассчитывать на то, что ученики увидят, поймут, привыкнут. Необходимо специально показывать приемы общения, объяснять их функцию, учить владению ими.

Схема проведения урока

А. Стадия понимания

• Урок начинается с прослушивания или чтения текста, который вводит тему, — учащиеся просто слушают.

• Учащиеся слушают или читают (или и то, и другое) и дают невербальный ответ (например, поднимают руку, когда слышат знакомое слово или слово, относящееся к теме, — это могут быть слова уже написанные на доске).

• Учащиеся слушают или читают текст и дают невербальный, нефизический ответ (например, ставят галочку).

• Слушают или читают текст и записывают или повторяют слова.

Б. Стадия обработки

• Учащиеся слушают части диалога, повторяют.

• Делают механические упражнения (отработка).

• Отвечают на вопросы (преподавателя или друг друга, но основная информация для ответа или содержится в тексте, или очень близка к нему).

В. Стадия коммуникации

• Стимуляция. Послушав и отработав разговор о семье, учащиеся собирают данные о семьях друг друга.

• Работа в группах или парах: рассказывают друг другу о своей семье.

• Решение задач[1].

Г. Окончание урока

Традиционно в конце урока записывается домашнее задание (нередко это делается второпях из-за недостатка времени). Наш опыт работы показал, что конец урока должен жестко планироваться и включать:

1. подведение итогов работы: что сегодня изучили, о чем говорили, чему научились, что нового узнали;

2. постановку вопроса (проблемы) к следующему занятию, чтобы студенты самостоятельно поискали на него ответ и были заинтересованы сравнить свой ответ с тем, что скажет преподаватель на следующем уроке.

---

[1] См.: Source NUNAN. Designing Tasks for the Communicative Classroom. Cambridge University Press, 1989.

КАК ПРОВЕСТИ ПЕРВЫЙ УРОК И ВВЕСТИ АЛФАВИТ

ДАВАЙТЕ ОБСУДИМ:

1. *Когда вводить алфавит? С первого же урока еще до начала говорения на русском языке или говорение может опережать введение букв?*
2. *Как представлять буквы алфавита? В какой последовательности? Как предъявление алфавита согласовывается с фонетикой?*
3. *Надо ли одновременно давать графический и письменный вариант буквы?*
4. *Надо ли заучивать алфавит в его алфавитной последовательности?*

С чего начинать обучение письменной речи

Одни методисты считают, что изучение иностранного языка надо начинать с письма, т. е. с изучения букв, параллельно с произношением звуков, так как без этого студент не сможет самостоятельно заниматься языком.

Другие считают, что надо начинать изучение иностранного языка устным методом (через имитацию), не вводя алфавита, так как графический знак, во-первых, иногда мешает правильному произношению, а во-вторых, не дает возможности развивать устную речь студента.

Третьи полагают, что изучение алфавита и устной речи надо начинать параллельно, отводя на каждом уроке время и одному, и другому. При этом устная речь имитируется и даже может быть передана графическими знаками родного языка.

Что, по вашему мнению, лучше и почему?

Способы знакомства с графическим знаком

1. *Графический подход.* Алфавит традиционно представлен в алфавитном порядке: преподаватель читает и комментирует каждую букву алфавита, затем студенты читают слоги и слова.

2. *Звуковой подход.* Студенты произносят отдельные звуки, слоги и слова, сначала те, которые вызывают наименьшие трудности, затем те, которые есть в родном языке, но отличаются от русских, и, наконец, наиболее трудные, не имеющие соответствия в родном языке. Потом им предъявляется изображение буквы, передающей этот звук. Затем они читают слоги и слова.

3. *Слоговой подход.* Предлагаются сразу слоги (согласная плюс гласная), которые студенты читают не побуквенно, а целым слогом. При этом даются целые ряды противопоставленных оппозиций: слоги с мягкими и твердыми согласными типа: *ба-бя; са-ся; да-дя* и т. п.

4. *Словесный подход.* При устном опережении заучиваются фразы, диалоги, тексты, они проигрываются, многократно повторяются. Затем учащиеся читают алфавит и после этого сразу же читают тот текст, который многократно проигрывался. Так как студенты уже знают этот текст, они «узнают» слова по первым буквам.

Какой подход, по вашему мнению, лучше и почему?

Планы первого урока

Вариант 1

1. *Преподаватель разговаривает сразу на русском языке.* Он называет себя — имя, профессию.

— *Я профессор.*
— *Я Анна.*

Он показывает фотографии и говорит:

— *Это мама. Она доктор.*

Подбирая интернациональные слова, он рассказывает простую историю. Главное — чтобы студенты понимали его. Затем преподаватель спрашивает имена студентов, записывает на доске русскими буквами — 7 мин.

2. *Упражнение на аудирование.* Преподаватель просит отметить имя, которое он произнес (три раза). У студентов список из трех слов. Например, преподаватель говорит *Марина.* У студента в карточке написано: *Marina, Mariya, Marta* — 7 мин.

3. *Ввод диалога.*

а) Преподаватель разыгрывает диалог, стараясь, чтобы студенты поняли ситуацию (перевод диалога есть в тексте или его дает преподаватель).

б) Студенты повторяют хором диалог вместе с преподавателем, затем группами и в парах.

в) Фразы диалога проговариваются несколько раз — 20 мин.

4. *Работа над графикой.* Познакомить с русскими буквами можно через имена студентов, через интернационализмы, написание которых похоже в русском и в английском языках.

Последовательность знакомства такова:

а) написание гласных;

б) согласные, совпадающие в русском и родном языке;

в) согласные, написание которых в русском и родном языке не совпадает;

г) согласные, которых нет в родном языке, — 16 мин.

Вариант 2

1. Преподаватель на родном для студентов языке рассказывает о целях курса, о том, к какой группе языков относится русский язык, показывает на доске несколько букв — 10 мин.

2. Показывает карту России и называет по-русски: *Россия, Москва, Петербург, Новгород, Волга, Балтийское море* и т. д. Затем произносит слова по-русски и просит студентов догадаться, какие это города (страны), — 10 мин.

3. Преподаватель вводит фразы: *Меня зовут... А как вас зовут?* Он может написать их на доске по-русски и латинскими буквами. Затем студенты задают эти вопросы друг другу. Если они могут встать, они встают и ходят по аудитории, знакомясь со всеми, — 10 мин.

4. Вводится алфавит: буквы М, А, О, Т, Е. (Введение алфавита должно занять 2—3 часа в аудитории плюс 2—3 часа домашней работы).

Вариант 3

Преподаватель читает вслух рассказ (например, по-английски) с русскими словами, вставленными в него. Каждое слово написано на карточке, которую он показывает. Этот рассказ надо прочитать и на втором, и на третьем уроке, пока учащиеся не выучат слова и их написание наизусть. Одновременно даются упражнения для закрепления букв.

П р и м е ч а н и е. На первых уроках обсуждение редукции и прочих фонетических особенностей русского языка не представляется целесообразным.

✓ *Задание.*

1. Какой из этих планов вы бы выбрали для себя?

2. Какой план первого урока вы бы предложили?

ИГРЫ НА УРОКЕ

ДАВАЙТЕ ОБСУДИМ:

1. Как вы думаете, как и какие игры можно использовать на уроках русского языка?

2. Все ли учащиеся склонны играть на уроках?

3. С какой целью, когда, сколько времени можно играть на уроках?

1. Игры, выводящие в речь

Чтобы говорить на иностранном языке, необходимо обязательно говорить. Но очень часто за пределами аудитории учащемуся невозможно использовать изучаемый язык, а в аудитории не хватает времени, чтобы все немного говорили, и, что очень важно, у учащихся не возникает потребности, необходимости говорить на иностранном языке, нет мотивированности.

Проблема мотивированности речи становится одной из центральных, и методисты ищут приемы и формы учебной деятельности, вызывающие потребность говорить. Одна из таких форм — игра.

Положительной стороной игры является то, что, будучи творческой по своему характеру, она активизирует мыслительную деятельность учащихся и способствует развитию творческого отношения к языку. К развивающим умения спонтанной речи относятся так называемые ролевые игры. Например: вам предложили на выбор три квартиры, у каждой из них свои преимущества и недостатки: одна близко к метро, но выходит на север, вторая — солнечная, но далеко от метро, третья — и близко от метро, и солнечная, но в ней не очень хорошая планировка комнат. Мнения членов семьи разделились. Все настаивают на своем варианте. Решите этот спор.

А вот еще одно игровое задание — конкурс архитекторов. Две группы получают чистые листы бумаги с заданием сделать проект квартиры для молодой семьи из четырех человек (жена, муж, двое детей — мальчик и девочка). Группам дается время на подготовку. Затем каждая группа показывает свой проект членам жюри (вторая группа и преподаватель) и защищает его. Побеждает группа, у которой проект лучше, аргументация логичнее, защита активнее.

2. Игры, помогающие запоминанию

Согласитесь, что память при изучении иностранных языков очень важна. Запоминать приходится и звучание слов, и их написание, и формы слова, и их соединение. «Запомните. Заучите дома! Выучите, завтра проверю!» — такие задания постоянно даются на дом.

И вот начинается заучивание, зазубривание, учащиеся вечером учат, утром повторяют, записывают слова на бумажках, вытаскивают их и вспоминают, приклеивают слова на стекло телевизора, чтобы видеть «боковым» зрением, развешивают слова по комнате как плакаты, наговаривают на магнитофонную ленту и прослушивают, занимаясь домашним трудом. Сколько способов! Каждый ищет свой. А многие даже не ищут. Почему? Просто не умеют, не знают как это делать. Не учили их способам запоминания. Учащиеся привыкли, не задумываясь, выполнять этот тяжелый труд — заучивать, учить на память домашние задания, правила, стихи. А результат получается не всегда хорош. Кто-то заучил слова, спросите его, как по-русски *видеть, осматривать*. Скажет. А начните разговор о врачах и предложите перечислить все действия, совершаемые врачом, слово *осматривать* вдруг не вспоминается. Почему? Оказывается «заучить» слово, это еще не значит научиться его употреблять.

И вот современная методика поставила иную задачу — надо учить в аудитории запоминать материал всем вместе (насколько это веселее и полезнее), употребляя нужные слова и фразы множество раз непосредственно в речи.

А как запоминать? Преподаватель помогает, подсказывает, учит запоминать.

Фразы легче запоминаются и припоминаются, если они накладываются на мелодию, поются. Это ключ памяти. Второй ключ — ритм, третий — рифма, четвертый — жест и мимика, пятый — мнемоника, т. е. техника запоминания. **Ключами памяти являются различные комментарии, наглядность, синонимы и антонимы.**

Чтобы запомнить, надо много раз повторить, а чтобы появился навык, **надо много раз совершить речевое действие, т. е. мотивированно употребить ту или иную фразу.** Такая мотивированность легко возникает в игре. Остается только заучивать нужный языковой материал в играх.

Помогают изучению языка и игра в мяч, и домино, и лото, и карты. Песочные часы, плакаты — все это реквизиты различных игр, используемых на уроках русского языка как иностранного.

Расскажем об игре. «Игра в мяч».

Реквизит: 1 или 2 теннисных мяча.

Условия игры: учащиеся вместе с преподавателем образуют круг и, перебрасывая мяч друг другу, выполняют предлагаемое речевое действие.

Возможные задания.

1. Назвать синоним к предложенному слову.

2. Назвать антоним.

3. Назвать определения к слову (например, *хлеб — белый, черный, свежий, черствый* и т. д.).

4. Перечислить лексическую группу (например, перечислить профессии, фрукты, мебель и т. д.).

5. Ответить на вопросы и т. д.

Игра в мяч помогает внести развлекательный элемент, усиливает внимание, способствует выработке автоматизма.

3. Игры, развивающие языковые способности

«Можно узнать свои способности только тогда, когда попытаешься их приложить», — писал Сенека-младший. Действительно, надо иметь память, чтобы заучивать иностранные слова, надо быть трудолюбивым, чтобы выполнять упражнения, надо иметь хороший слух и хорошие имитационные способности, чтобы воспроизводить фонетическую систему чужого языка, надо быть коммуникабельным и раскованным, чтобы рискнуть, плохо зная чужой язык, говорить на нем. Эти способности помогают в изучении иностранных языков, а если их нет, мы сетуем на их отсутствие и говорим, что мы не способны к иностранным языкам.

Не способны ли? Или не развили нужные для этого способности? Наверное, последнее вернее. Не сумели сами развить, а учителя нам в этом не всегда были помощниками.

Современная методика преподавания иностранных языков обращает внимание на то, чтобы, занимаясь иностранным языком, учащийся обогащал себя новыми знаниями и умениями и одновременно совершенствовался как личность. Большую помощь в этом оказывает дидактическая игра.

Конечно, для закрепления слов группы «*Одежда*» можно предложить учащимся описать одежду друг друга. Цель в этом случае одна — тренировка слов. Но, изменив чуть-чуть задание, можно превратить его в игровое: «Посмотрите внимательно друг на друга, а теперь отвернитесь и попробуйте рассказать, кто во что одет?» Здесь уже две цели: одна дидактическая, вторая — тренировка наблюдательности, концентрация внимания.

Игра «Узнайте, кого мы описываем». Группа делится на две команды. Задача каждой команды — описать одного из присутствующих. Задача противоположной команды — отгадать, кого имеет в виду группа.

Игра «Все ли осталось по-прежнему?» Водящему предлагают внимательно посмотреть вокруг и постараться как можно больше запомнить. Затем он выходит, а в аудитории происходят изменения: переставляется мебель, переодеваются учащиеся. Задача водящего — увидеть и рассказать об изменениях.

Таких игр можно подобрать большое количество, и тогда уроки иностранного языка станут для каждого человека значимее, так как язык будет изучаться не сам по себе, а как средство познания себя и мира, как средство общения, к которому незаметно подводят правила игры.

✓ *Задание.*

1. Какие игры вы бы еще могли предложить? Составьте список игр. Какие из них принадлежат к играм: а) помогающим запомнить слова и грамматические формы; б) способствующим автоматизации речевых действий; в) выводящим в коммуникацию?

2. Сравните ваш список с предложенным ниже списком игр. Какие игры оказались для вас новыми?

4. Классификация игр[1]

1. **Игры настольные: домино, карты, лото.** Используются чаще всего для автоматизации лексики и грамматических форм. Это могут быть рисунки, слова и словосочетания. Хорошо запоминаются: сочетания числительного и существительного, управления глаголов, спряжение глаголов, видовые пары.

ПОМНИТЕ! Это выработка языковой (лингвистической) компетенции.

Игры этого типа помогают ЗАПОМИНАТЬ форму.

Как и все игры, они поддерживают живой интерес у учащихся. ВСЕ ЭТИ ИГРЫ ПРЕДПОЛАГАЮТ НАЛИЧИЕ ПОБЕДИТЕЛЯ.

2. **Игры-соревнования «Кто больше?»; «Кто скорее?»; «Эстафеты».** Используются как для запоминания и воспроизведения слов и грамматических форм, так и для употребления их в речи:

---

[1] Подробнее см. *А. Акишина, Т. Жаркова, Т. Акишина.* Игры на уроках русского языка. М, 1989.

❖ Кто больше вспомнит слов?
❖ Кто знает больше выражений?
❖ Кто больше запомнил?
❖ Кто интереснее сочинил?

3. **Игры и использование схем, планов, карт.** Чаще всего применяются для развития навыков говорения о передвижении в пространстве (глаголы движения, приставочные глаголы, предлоги).

❖ Виды: ПЛАНИРОВАНИЕ МАРШРУТА, ПУТЕШЕСТВИЯ, РАССКАЗЫ О ГОРОДЕ.

4. **Игры с использованием предметов, игрушек:** мяч, песочные часы, юла, секундомер, метроном.

5. **Игры-упражнения:** «снежный ком», «стенка», «круг в круге», «снимается кино», «эхо» — для многократного повторения одного и того же материала. Они нарушают монотонность занятия.

6. **«Лом»** — разрезанные тексты, которые необходимо собрать. Развивает навыки понимания синтаксической структуры фразы и текста.

7. **Игры-загадки:** «Что это такое?»; «Кто это?»; «О чем эта история?» — коммуникативные задания.

8. **Фольклорные игры-забавы.** Чаще всего используются как фонетические упражнения и развлечения, а также для знакомства с культурным наследием носителей языка, например, «Гуси-гуси».

9. **Игры-движения.** Гимнастические команды, другие команды для передвижения. Используются как ключи памяти, как упражнения на расслабление, активизацию и переключение внимания.

10. **Конкурсы, олимпиады, диспуты, дискуссии** — коммуникативные задания.

11. **Игры для развития способностей учащихся, памяти, внимания.**

12. **Игры-драматизации, скетчи, ролевые игры.**

Возможна также классификация игр с точки зрения вырабатываемых умений по видам речи, по типам компетенций:
❖ Игры фонетические.
❖ Игры лексические.
❖ Игры грамматические.
❖ Игры речевые.
❖ Игры ролевые.

||||➡ *Советы:*

Выбирая игру, необходимо помнить:

1) о возрасте учащихся (подростки меньше любят играть, чем взрослые и дети);

2) о времени, которое требуется для проведения игры (нельзя затягивать игру);

3) о педагогической ценности игры (для чего учащиеся играют);

4) о ясности указаний;

5) о роли преподавателя в игре.

КОНТРОЛЬ

⤳ **ДАВАЙТЕ ОБСУДИМ:**

1. Нужен ли контроль при изучении языка и что нужно контролировать?

2. С какими трудностями сталкивается преподаватель при проведении контроля?

3. Как оценивать контрольную работу?

4. Что значит уметь экзаменовать студента?

Типы контрольных проверок

Контроль является необходимым элементом процесса обучения, хотя цели его различны (см. табл. 8).

Таблица 8

Типы тестов

А	Б
Проверка знаний	Тесты на умения
Субъективные тесты	Объективные тесты
Продуктивные тесты	Рецептивные тесты
Тесты проверки поднавыков	Коммуникативные тесты
Сравнение студентов	Сравнение с нормой
Отдельные элементы	Много элементов
Умение пользования языком	Прогресс за определенное время
Прогресс за определенное время в широком контексте	

Ошибки при проведении контроля

В 1985 г. было проведено исследование по применению контрольных работ в классах иностранного языка в израильских городских школах (Шохами, 1985). Были обнаружены следующие ошибки учителей:

1) контрольная работа: а) использовалась как наказание; б) служила единственным источником оценки; в) не отражала материала программы; г) возвращалась ученикам без исправлений; д) отражала лишь один метод контроля.

2) учителя не были уверены в том, что именно они проверяют;

3) ученики не были достаточно подготовлены;

4) слишком много времени проходило между контрольной работой и ее возвращением ученикам с исправлениями;

5) ошибки, сделанные в контрольной, отмечались без объяснений, как их устранить;

6) контрольная работа была слишком легкая или слишком трудная.

Более позитивный подход к контрольной работе состоит в том, чтобы:

1) относиться к контрольной работе как к виду общения между учителем и учеником;

2) помогать ученикам улучшить знания, обращать внимание не только на то, чего они не знают, но и на то, что они знают (учитель отмечает ошибки, а также пишет положительные комментарии);

3) ученикам были ясны критерии оценки;

4) контрольная работа включала различные методы тестирования, т. е. давала больше информации для выставления отметки;

5) контрольная работа возвращалась как можно быстрее учащимся;

6) в контрольной работе было что-нибудь новое и привлекательное: текст, картинка и т. п.

Тесты, наиболее распространенные в настоящее время

1. **Промежуточный тест** проверяет то, чему мы учим. Он строится на ограниченном материале, учащийся может к нему подготовиться, получив 100%. Обычно в этом случае преподаватель срав-

нивает знания студентов друг с другом. Тест проводится часто и является нестандартным.

2. Проверка коммуникативных умений. Проверяется то, чему учили в реальном контексте, воспроизводя реальные ситуации после тестирования. Сравниваются результаты с поставленными целями. Этот вид теста подготавливает к глобальному тесту и требует от учащихся творческого подхода. Проверка может проводиться через определенные, достаточно короткие интервалы времени.

3. Глобальный тест проверяет коммуникативные компетенции: что учащийся может делать с помощью языка? Обычно материал неограниченный. К тесту нельзя подготовиться. В этом случае знания учащегося сравнивают с уровнем образованного носителя языка. Такой тест проводится нечасто и является стандартным. Очень важно при этом, чтобы преподаватель был естественным партнером по общению со студентом: он должен быть доброжелательным, заинтересованным, демократичным.

Письменный контроль

Письменный контроль, как известно, — наиболее распространенная форма тестирования. Особенно он распространен в американских учебных заведениях. Цели, которые преследует такой контроль, могут быть различными. Возможен письменный контроль отдельных языковых уровней (лексики, морфологии, синтаксиса), то, что У. Риверс называет «микроумения», уровня владения языком в целом (по терминологии У. Риверс, «макроумения»), т. е. умения пользоваться языком для решения коммуникативных задач.

Очень важно и нужно, чтобы осуществлялся контроль как микро-, так и макроумений. Даже одна и та же контрольная работа может включать задания двух типов, например проверка грамматического явления и одновременно задание написать письмо, прочесть текст и выполнить к нему задания, прослушать текст и письменно ответить на вопросы и т. д.

✓ *Задание.*

1. Какие виды контроля вы еще знаете?

2. Какими из перечисленных выше видов контроля вы пользуетесь часто (редко)?

3. Какие вы можете предложить контрольные задания?

УСТНЫЙ КОНТРОЛЬ

ДАВАЙТЕ ОБСУДИМ:

1. Опишите те виды устного тестирования, которые вы предлагали своим ученикам.
2. Какие устные экзамены вы сдавали сами?
3. Надо ли проводить устные контрольные работы? Как часто их проводить?
4. Как часто, по вашему мнению, надо проводить устный тест-интервью для определения уровня владения языком?

При коммуникативном подходе большое значение приобретают проверки каждого навыка. Для проверки навыка говорения необходимо проводить устный контроль.

Существуют следующие типы устных экзаменов (контрольных проверок) (см. табл. 9).

Таблица 9

Устные проверки и экзамены

Тип проверки	Преимущества	Недостатки
1. *Индивидуальный.* Время: 10—15 мин. на студента	Возможность спонтанного разговора, проверки всего материала	1. Занимает много времени 2. Преподаватель лидирует 3. Создается стрессовая ситуация
2. *Парный.* Время: 10—15 мин. на пару	1. Общение исходит от студентов 2. Меньший стресс 3. Занимает меньше времени	1. Студенты контролируют ситуацию и могут пропускать трудный для себя материал 2. Возможна неравная подготовленность участников 3. Необходимость в подготовке лишает разговор спонтанности
3. *Групповой* (более 3 человек). Время: 1 час	1. Очень коммуникативно 2. Большая естественность речи	1. Трудно применять на начальном этапе 2. Некоторые студенты могут отмолчаться 3. Труднее объяснить отметку

Окончание

Тип проверки	Преимущества	Недостатки
4. *В лингафонном кабинете.* Время: 1 час	1. Объективность 2. Минимальное время с максимальным результатом 3. Большой объем речи каждого студента 4. Возможность сравнить прогресс	1. Искусственность 2. Отсутствие личного контакта 3. Технические сложности

Возможные ошибки преподавателя при тестировании

1. Преподаватель активно вмешивается, перебивает, заканчивает фразы, высказывает свое мнение.

2. Задает слишком легкие/трудные вопросы.

3. Завышает или занижает оценку устной речи под влиянием сложившегося у преподавателя «образа» студента.

Как вести устный экзамен

1. Преподаватель только стимулирует речь студента (он внимателен, доброжелателен, слушает с интересом).

2. Не исправляет ошибки, но может записывать их (лучше, чтобы запись была на кассете).

3. Имеет ясные критерии для выставления оценки.

ВОЗМОЖНЫЕ КРИТЕРИИ ОЦЕНКИ УСТНОГО ВЛАДЕНИЯ ЯЗЫКОМ

ДАВАЙТЕ ОБСУДИМ:

Как вы думаете, что важнее всего оценивать на каждом уровне владения языком:

— *запас слов;*

— *грамматическую правильность:*

— *правильность произношения и интонации:*

— *беглость речи. отсутствие затруднений при выражении мысли;*

— *достижение цели речевыми средствами;*

— *умение вести беседу (реакция на слова собеседника, умение задавать вопросы и т. д.);*

— *умение не делать ошибок;*

— *умение исправлять свои и чужие ошибки;*

— *умение выйти из затруднения любыми средствами.*

Оценка устного владения языком

Имя учащегося _____	
1. Легкость понимания того, что говорит студент	**Оценка**
Почти непонятно	2
Понимание требует значительных усилий	3
Понимание требует некоторого усилия	4
Понимание не требует усилия	5
А. Фонетическая и интонационная чистота речи	
Смешение большинства звуков, неразличение главных интонационных конструкций (ИК-1, ИК-2, ИК-3)	2
Смешение многих звуков изучаемого и родного языков. Нарушение норм интонации	3
Случаи смешения звуков родного и изучаемого языков, случаи неправильной интонации	4
Достаточно верная интонация и произношение	5
Б. Грамматическая чистота речи	
Почти полное отсутствие правильных грамматических форм	2
Минимальное количество грамматических ошибок	3
Присутствие среднего самоконтроля ошибок и самоисправление	4
Полностью осуществляется самоконтроль и самоисправление	5
В. Правильное использование слов	
Недостаточное знание слов для выполнения речевой задачи	2
Минимальный запас слов для выполнения поставленной задачи	3

Окончание

Средний запас слов	4
Хороший запас слов и правильное их употребление	5
Г. Беглость и ясность речи	
Речь с очень большими паузами почти после каждого слова	2
Паузация речи и поиски слов для выражения мысли сильно мешают коммуникации	3
Паузы не так часты и не очень мешают общению	4
Речь достаточно беглая для данного этапа и ясная	5
2. Легкость понимания речи учащимся (аудирование)	
Понимается с трудом после многократных повторений и в медленном темпе	2
Среднее понимание, т. е. требуется медленный темп, перефраза и повторение	3
Хорошее понимание. Изредка требуется повторение, перефраза и замедленный темп	4
Очень хорошее понимание для данного этапа	5
Максимум очков	30
Количество очков и оценка: *Отлично* *Хорошо* *Удовлетворительно*	27—30 24—26 18—23

Тест-интервью[1]

В 50-е гг. в американском Институте иностранной службы (Foreign Service Institute) было разработано прагматическое тестирование — тест-интервью. Этот тест не ориентирован на определенную программу, он не учитывает условия, длительность обучения и пре-

---

[1] См. И.Томпсон. Опыт прагматического тестирования устной коммуникации: тест-интервью. «Русский язык за рубежом», № 3, 1990, с. 66—70.

дыдущие оценки тестируемых. Его цель — оценить коммуникативные умения учащихся.

Процедура интервью. Беседа экзаменатора и тестируемого ведется на иностранном языке и продолжается от 10 до 30 мин. Цель беседы — получить образец речи и оценить коммуникативные умения учащегося. Беседа должна вестись легко и непринужденно, поэтому экзаменатор — «заинтересованный слушатель». Беседа записывается на кассету.

Оценка интервью ставится по шкале оценок.

1. Учитываются *глобальные задачи,* которые выполняет учащийся (контекст, содержание, дискурс). Так, например, на начальном уровне учащийся рассказывает о своей семье, перечисляя членов семьи. А на профессиональном уровне он ведет беседу о современном состоянии семьи.

2. Учитывается *правильность речи* (фонетические, грамматические, лексические, социолингвистические и прагматические нормы).

3. Учитывается *усложнение текста.* Так, на начальном уровне учащийся использует отдельные слова, заученные несвободные сочетания, а на профессиональном — логически построенный дискурс, состоящий из нескольких абзацев. Важно учитывать связность речи, длительность пауз.

4. Принимается во внимание *понятность речи.* На начальном уровне речь понятна в основном носителям языка, привыкшим к общению с иностранцами, а на продвинутом — любому носителю языка вне зависимости от темы разговора.

Так как учитывается много «профилей», возможна одинаковая оценка лиц с разными «профилями». Например, один учащийся знает больше слов, а другой знает лучше грамматику. Но если они одинаково справляются с коммуникативными заданиями, они получают одинаковую оценку.

Структура интервью. У экзаменатора набор обязательных фраз: ознакомительных, установляющих, проверяющих и заключающих. Ознакомительные — приветствие, знакомство, простые вопросы. Установляющие — определение уровня, на котором учащийся общается без труда. Проверяющие — ролевые задания. Заключительные — вопросы на уровне ниже уровня знаний учащегося, чтобы он себя почувствовал уверенно.

Используется при распределении студентов по группам для поступления в университет, в аспирантуру, на должность, где нужно знать иностранный язык, и т. д.

О ЧЕМ ГОВОРЯТ ОШИБКИ УЧАЩИХСЯ[1]

ДАВАЙТЕ ОБСУДИМ:

1. *Как вы относитесь к ошибкам учащихся? Вы считаете, что они недопустимы и их надо сразу же исправлять? Считаете ли вы, что ошибки учеников сигнализируют об их неудачах: чем больше ошибок, тем меньше прогресс в языке?*
2. *Указывают ли ошибки на недостатки в работе преподавателя?*
3. *Следует ли к ошибкам относиться терпимо? Являются ли ошибки составной, необходимой частью учебного процесса?*
4. *Знаете ли вы, почему учащиеся делают ошибки?*

Среди представителей разных методических направлений распространены различные точки зрения на ошибки учащихся. Например, не без влияния аудиолингвального метода и в настоящее время считается, что учащиеся должны запоминать учебный материал таким образом, чтобы употреблять его автоматически и безошибочно. Ошибки же у них возникают потому, что они мало потратили времени и усилий на выполнение упражнений. Учитель ставит плохие отметки, сравнивает «плохих» учеников с «хорошими», перебивает учащихся во время их ответов, указывая на ошибки, прерывает ответ, просит других учащихся помочь правильно ответить и т. п.

Эти меры применялись и применяются в системах обучения, где интеллектуальные возможности учащихся в учебной деятельности не принимаются в расчет, где слабо развита обратная связь между учителем и учеником. Те, кто придерживаются этой точки зрения, забывают, что в любой познавательной деятельности человек продвигается к вершинам знания путем проб и ошибок, так как безошибочной учебы не существует.

В последнее время становится популярной *«теория ошибок»*, согласно которой *к* ошибкам учащихся следует относиться как к важнейшему показателю их знаний языка, как к «пульсу» обучения, указывающему на болезни учебного процесса, на его недостатки.

«Теория ошибок» появилась в результате исследований так называемого промежуточного (переходного) языка учащихся. Ее создатели — Кордер и Селинкер рассматривают этот язык как особую переходную лингвистическую систему, которая претерпевает несколько стадий развития. Главной отличительной чертой этой системы принято считать ее неразвитость, то, чем она непохожа на родной язык учащегося. Поэтому учебный процесс — это не что иное, как, во-первых,

---

[1] См. *В. И. Шляхов.* Индивидуализация обучения и проблема создания самоучителя русского языка / Канд. дис. М., 1982.

развитие этой системы, а во-вторых, сближение ее с эталоном изучаемого языка. В результате обучения эти системы совпадают, т. е. учащийся начинает общаться на иностранном языке так же, как его носители. Более того, наблюдая за развитием этой особой переходной системы, можно представить себе, что происходит в голове учащихся, так как видимой частью этого процесса являются ошибки.

Итак, язык учащихся всегда проще, чем изучаемый язык, однако в процессе обучения он все усложняется. В этом он похож на язык ребенка, с одним важным отличием: ребенок начинает усваивать язык «с нуля», в то время как учащиеся уже владеют родным языком, у них также сложились познавательные структуры. Если это так, то иностранный язык учащихся, усложняясь, проходит несколько стадий развития.

Каждой стадии развития переходного языка сопутствуют свои характерные ошибки. Например, на продвинутых стадиях учащиеся часто ошибаются, пытаясь расшифровать сказанное на иностранном языке. Русская фраза: *Не скажу,* в ответ на вопрос: *Вы не скажете, где метро?* — воспринимается иностранцами как грубый ответ, как нежелание помочь. Заметим, что студенты знают все грамматические значения, представленные в предложении *Не скажу,* т. е. отрицание с глаголом совершенного вида в будущем времени. Что же помешало им понять смысл сказанного? Только одно — незнание других, более тонких значений этой фразы, которая, помимо прямого значения *Не хочу говорить* (например: *Скажи, кто твоя подруга? — Не скажу),* в ситуации встречи незнакомых людей в городе означает совсем другое: *Я не могу сказать, где находится метро, потому что я и сам(а) этого не знаю.* Перед нами типичная двойная ошибка, появившаяся, во-первых, из-за недостатка знаний в области социальных правил использования языка, согласно которым одна и та же фраза означает разное в разных обстоятельствах, а во-вторых, из-за ошибочного переноса: старые знания неправильно применялись для решения новых задач общения.

Выше было показано действие одного из механизмов появления ошибок. Перечислим самые известные из них.

1. Межъязыковой перенос (интерференция родного языка). Негативное влияние родного языка вызывает многочисленные ошибки:

1) фонетические;

2) неправильное использование интернациональной лексики: *Дай магазин* вместо *Дай журнал;*

3) неправильное использование частиц;

4) неразличение мягкости—твердости гласных в словах типа: *пыль/пыл.*

5) добавление окончания множественного числа к слову *человек*; *спорт*;

6) дословный перевод фраз родного языка. Например, уступая место в очереди незнакомому человеку, нельзя сказать: «Вперед!» (перевод клишированной фразы: "Go ahead!"). В русском языке это или военная команда, или побуждение к действию хорошо знакомого человека: *Можно взять твой фотоаппарат? — Вперед!*

2. *Внутриязыковой перенос (или ложные обобщения).* Он появляется в процессе изучения языка. Пробелы в знаниях грамматики, словоупотребления приводят к тому, что учащиеся делают неправильные выводы о возможностях употребления правила, об их ограничениях и исключениях. В результате появляются такие словоформы, как в *угле, на мосте, на поле* вместо *в углу, на мосту, на полу; в заводе, в фабрике* вместо *на заводе, на фабрике; ехай* вместо *поезжай.* Встречается обращение *Пока!* к официальному лицу или незнакомому человеку.

3. *Решение задач общения неадекватными средствами.* Пробелы в знаниях во время устного общения приводят к следующим ошибкам:

1) смешение похожих (по звучанию и по значению в русском языке) слов. Например, употребление *стул* вместо *стол; изучать* вместо *учить;*

2) использование слов родного языка в русских фразах, например *Я хочу яйца и bacon;*

3) переход на родной язык;

4) стремление говорить только на известные темы. Учащиеся чувствуют себя комфортно, когда знают слова и выражения, например, тем «Автобиография», «Моя учеба». Поэтому они прибегают к тактике смены тем, стремятся прервать разговор на незнакомые темы.

⟿ **Выводы**

1. **Знание источников ошибок облегчает задачу их классификации и определения мер по их исправлению.**

2. **В одной ошибке может проявиться действие нескольких интеллектуальных процессов. Например, в употреблении фраз *Я читала книгу, ты можешь брать ее* вместо *Я прочитала книгу, ты можешь взять ее* видны и недостаток обучающей системы (учащемуся не объяснялась видовая система русского глаголами) и действия упрощения, (нетвердое знание грамматики заставляет учащегося отказываться от употребления уже знакомых правил).**

3. К разным ошибкам желательно относиться по-разному. Терпимость к ошибкам, отражающим творческий процесс овладения языком, просто необходима. Создание студентами новых слов — описательный способ выражения мыслей (парафразирование): *У него есть машина, там нет мотора* вместо слова *велосипед* — показывает их способность решать проблемы общения ограниченными средствами. К другому типу ошибок относится типичная ошибка употребления именительного падежа: *Он читает книга.*

4. В коммуникативной методике преподавания языков общепринято исправлять ошибки следующими приемами.

1) Грамматические, лексические ошибки (действие межъязыкового, внутриязыкового переноса, упрощение) исправляются сразу же во время выполнения лексико-грамматических упражнений.

2) Ошибки во время устного общения исправляются с помощью приема «эхо». Преподаватель повторяет фразу, в которой была допущена ошибка, делая вид, что он переспрашивает, уточняет, добавляет. Например, студент говорит: *Я вчера ходил в школа.* Преподаватель: *Куда, куда вы ходили, я не расслышал. Вы сказали, в школу?* Затем учащийся повторяет правильный образец и продолжает рассказ.

3) Ошибки устного общения исправляются с помощью отсроченного контроля. Они игнорируются во время коммуникации, но записываются и разбираются после окончания общения.

УЧЕБНИК. КАКОЙ УЧЕБНИК ВЫБРАТЬ

КАК ВЫБРАТЬ УЧЕБНИК

Выбор учебника определяется многими критериями, и в первую очередь наличием разных изданий, программами курсов, соответствий позиций авторов и преподавателя и т. п. Именно поэтому предлагать критерии выбора учебника можно только в общих чертах.

Возможные критерии выбора учебника

• Четко поставленные *цели* и их последовательная реализация.

• *Набор учебных текстов* (диалогов, полилогов, монологов):

а) их близость к реальным текстам устной и письменной речи;

б) их лексико-грамматическое соответствие предложенным темам;

в) их образность, информативность и тому подобные средства, удерживающие внимание студента.

• Достаточность и эффективность упражнений как для тренажа, так и для выхода в 4 вида речевой деятельности.

• Наличие *коммуникативных упражнений.*

• Баланс между тренажными и коммуникативными упражнениями.

• Разнообразие функций (от умения задать вопрос до аргументации).

• *Аутентичные тексты,* отражающие культуру и страноведческую информацию.

• *Словарь,* который отражает коммуникативные нужды и интересы учащихся.

• *Грамматика,* организованная в соответствии с коммуникативными нуждами. Грамматика — последовательно, поэтапно ясно и доступно описанная.

• Учет разных типов учащихся и поэтому разнообразие *тактик* и *стратегий* обучения.

• Наличие *аудио-* и *видеоприложений.*

КАК РАБОТАТЬ С УЧЕБНИКОМ

В последние годы учебники издаются в комплекте с книгой для преподавателя, где авторы советуют, как организовать урок, как распланировать материал, какие дополнительные материалы добавить, какие контрольные давать. Поэтому, приступая к курсу, преподавателю следует тщательно проработать как учебник, так и эти рекомендации. Следующий шаг — составление программы на весь курс с распределением часов на каждую тему, а затем — понедельных и поурочных планов. Распределяя материал, преподаватель не обязательно должен выполнить все, что предлагает учебник. Дело в том, что в большинстве случаев **учебники избыточны, т. е. содержат гораздо больше упражнений и материала, чем можно обработать в отпущенные часы, а поэтому задача преподавателя — отобрать то, что с его точки зрения является самым существенным.**

Любой учебник, даже самый хороший, не исключает, а предполагает дополнительные материалы: иллюстрации, статьи из газет, новые книги, песни, музыку и т. п., что расширяет культурные сведения студента и выводит его из мира учебника в мир реального языка.

Очень важно, чтобы студент почувствовал, что через иностранный язык он получает информацию, что иностранный язык для него функционален, а не только предмет изучения. Именно поэтому преподаватели проводят на иностранном языке «минитеатры», конкурсы, «русские столы», обмен письмами со студентами и т. п.

Чтобы освоить язык, на нем необходимо действовать, т. е. выходить за чисто учебные рамки, которые ограничивают любой учебник. И при этом учебник является той путеводной звездой, которая ориентирует и преподавателя, и студента в океане нового языка.

ДОПОЛНИТЕЛЬНЫЕ СРЕДСТВА ОБУЧЕНИЯ

Известно, что в качестве дополнительного материала к учебнику преподаватель использует множество разнообразных текстов: словари и справочники, учебные пособия, аудио- и видеоматериалы (помимо тех, которые входят в учебник), картинки, слайды, аутентичные тексты, компьютерные программы, Интернет.

Видеофильмы

В качестве учебного и дополнительного материала используется видеофильм — учебный, художественный, документальный.

Просмотр учебного фильма, особенно если он прилагается к учебнику, помогает развитию речи на изученном материале, развитию навыков аудирования и говорения, знакомству с нормами речевого поведения носителей языка.

Иные функции у художественных и документальных фильмов в учебном процессе.

1. Студентам демонстрируется фрагмент фильма, который отбирается с учетом изучаемых ситуаций и речевых единиц. Используется такой фрагмент для развития навыков аудирования и говорения. Работа с фрагментом напоминает работу с учебным фильмом.

2. Фрагмент фильма отбирается с учетом уже изученной ситуации, но речевые единицы превышают изученный материал. Задача студентов догадаться, о чем идет речь. Развиваются навыки аудирования, говорения; способности прогнозирования и догадки.

3. Фрагмент фильма, острый по сюжету, предлагается для просмотра в качестве темы, ярко мотивирующей разговор. Задача — обсудить увиденное. Нужные речевые единицы либо предлагаются списком, либо даются преподавателем по ходу обсуждения.

Предлагаются следующие задания:

• просмотрите фрагмент фильма (звук выключен). Как вы думаете, о чем герои фильма говорят?

• послушайте разговор (изображение не дается). Что в это время происходит?

• посмотрите начало фрагмента фильма (конец фрагмента не дается). Что было дальше?

• посмотрите конец фрагмента фильма (начало фрагмента не дается). Что было до этого?

4. Фильм (или фрагмент фильма) может быть иллюстрацией к прочитанному тексту. Сюжет студентам знаком. Уже знакомые герои оживают. Фильм используется для выхода студентов в обсуждение: как они представляли себе героев и как они даны в фильме.

5. Фрагмент фильма (3—5 мин.) дается в начале урока как текст на аудирование. Предлагается ответить на вопросы: *«О чем они говорят?»*; *«Догадайтесь, кто это»*; *«Что вы услышали?»*

6. Фильм (или фрагмент) предлагается для знакомства с русской культурой (часть программы курса «Русская культура и цивилизация»).

7. Наконец, возможно использовать фильм как прелюдию к уроку. До начала урока (за 5—7 мин.) преподаватель включает фильм, создавая «атмосферу изучаемого языка». Никаких установок при этом не делается, мало того, преподавателя в классе нет. Преподаватель входит со звонком и обращает внимание студентов на видео: «Какой сейчас фильм? О чем?» Такое «предурочное» подключение видео (а может быть, и аудио) имеет большой психологический эффект, так как «погружает» учащихся в изучаемый язык.

КОМПЬЮТЕРЫ И ИНТЕРНЕТ

ДАВАЙТЕ ОБСУДИМ:

1. *С какой целью используется компьютер в обучении иностранному языку?*

2. *Какие типы упражнений стоит перевести на компьютер: чтение, грамматические упражнения, разговор, тестирование?*

3. *Какие задания с использованием Интернета можно давать студентам? Как сформулировать такие задания?*

4. *Стоит ли проводить урок в компьютерной лаборатории?*

5. *Представляете ли вы себе обучение иностранному языку, которое проводится целиком на компьютере?*

Нет сомнения в том, что компьютеры и Интернет быстро внедряются и занимают важное место в преподавании вообще и преподавании иностранных языков в частности. Поэтому в этом издании мы ввели раздел библиографии, посвященный компьютерам.

Если использование даже таких традиционных технических средств, как магнитофоны и видеомагнитофоны, вызывает дебаты и время от времени нуждается в переосмыслении, что же говорить о таком нововведении в преподавание иностранного языка, как компьютеры. Даже сравнительно недавние и обширные учебники по преподаванию иностранных языков (например, Ur, 1996) лишь мимоходом затрагивают роль и функцию компьютеров. В «Словаре методических терминов» (Азимов и Щукин, 1999) авторы говорят, что первоначально компьютерное обучение рассматривалось как дополнительное, но в настоящее время идет выработка новых форм компьютерного обучения. Они называют основной сферой применения компьютерных программ дистанционное обучение. Возможно, что в этом и есть будущее применения компьютеров и Интернета к обучению языка. Тем не менее очевидно, что и при очном обучении компьютеры и Интернет будут играть (и уже играют) значительную роль в преподавании. В этой главе мы не будем обсуждать дистанционное обучение, а лишь остановимся на применении компьютеров и Интернета как одного из элементов программы по языку.

Ниже приводятся некоторые мысли авторов относительно целесообразности применения компьютеров и Интернета. В настоящее время у преподавателей иностранного языка еще не сформировалось новое мышление, поэтому возможно, что мы используем компьютерные средства обучения, применяя к ним наши старые представления и методы.

Обсудите высказанные ниже соображения. Согласны ли вы с ними? Что вы можете к ним добавить?

1. Компьютеры позволяют активнее включать в учебный процесс некоторые типы студентов, например аналитически мыслящих.

2. Компьютер дает возможность дополнительной тренировки грамматики или позволяет вынести грамматику за рамки аудитории.

3. Компьютер позволяет вынести всю работу над грамматикой за рамки аудитории.

4. Наиболее полезны те грамматические компьютерные упражнения, которые имеют встроенную обратную связь.

5. Компьютерные игры помогают развитию и закреплению лексики.

6. Наилучшим применением компьютера является мультимедиа, обеспечивающая синтез текста, образа и звука.

7. Компьютер позволяет высокую степень индивидуализации обучения.

Интернет

1. Интернет дает возможность больше включать в учебный процесс некоторые типы студентов, например глобальные.

2. Задания с использованием Интернета позволяют студентам уже на начальном этапе обучения «выйти в реальность».

С другой стороны:

1. Интернет представляет собой огромное пространство, в котором студенты легко отвлекаются и теряют цель задания, поэтому четкость формулировки задания еще более важна, чем в других видах обучения.

2. Интернет ведет к более творческому и поэтому труднее управляемому процессу обучения, т. е. требует от преподавателя большей подготовки.

3. Задания с использованием Интернета нередко приводят к потери времени, особенно если студенты выполняют их на уроке.

Обсудите приведенные ниже типы заданий.

Критерии	Ваша оценка
1. На какой уровень студентов рассчитаны упражнения и задания? 2. Какова их цель? 3. Достигает ли задание своей цели? 4. Является ли задание действительно компьютерно ориентированным или же лишь отдает дань моде? 5. Можно ли сделать то же самое без компьютера? 6. Четко ли сформулированы задания? 7. Как бы вы их изменили?	

А. Компьютерные задания

1. *Вставьте нужную форму глагола.* Даются предложения с многократным выбором. После нескольких попыток студент может получить ответ.

2. *Вставьте нужную форму глагола.* Даются предложения с многократным выбором. Студент получает числовой ответ: сколько ответов правильных.

3. *Посмотрите и послушайте отрывок из фильма.* Ответьте на вопросы. Студент может проверить себя, нажав кнопку «Полный текст».

4. *Прочитайте текст (дается глоссарий).* Нажав на клавишу (другой вариант — нажав на ключевые слова), студент получает перевод или объяснение. Культурологический комментарий некоторых слов можно получить в Интернете. Кроме того, по выбору студента можно услышать весь текст или отдельные слова.

Б. Интернет

1. *На сайте, посвященном политическим деятелям, найдите фамилии, начинающиеся на ... букву. Запишите имена и отчества этих политиков.*

2. *Найдите информацию об одном из политиков Российского правительства. Приготовьтесь говорить о нем на уроке.*

3. *Вы хотите открыть в Москве ресторан. Посмотрите на соответствующем сайте* (дается адрес), *каких ресторанов нет или мало. Есть ли в Москве американский ресторан, японский и т. д. Решите, какой ресторан вы хотите открыть, придумайте название и меню.*

4. *На одном из политических сайтов* (дается адрес) *найдите информацию о таком-то событии. Сравните эту информацию с тем, что об этом пишут газеты в вашей стране.*

5. *На спортивном сайте* (дается адрес) *найдите информацию о том, когда будут проводиться соревнования по ... виду спорта.*

6. *Найдите сайт(ы) на тему ...* (адрес сайта не дается).

ЛИТЕРАТУРА[1]

Общие проблемы методики

1. *Азимов Э. Г., Щукин А. Н.* Словарь методических терминов (Теория и практика преподавания языков). СПб., 1999.

2. *Акишина А.А., Каган О. Е.* Учимся учить. М., 1997.

3. *Глухов Б.А., Щукин А.Н.* Термины методики приподавания русского языка как иностранного. М., 1993.

4. *Костомаров В. Г., Митрофанова О. Д.* Методическое руководство для преподавателя русского языка иностранцам. М., 1988.

5. *Костомаров В .Г., Митрофанова О. Д.* Методика преподавания русского языка как иностранного. М., 1990.

6. *Леонтьев А. А.* Речевая деятельность. Основы теории речевой деятельности. М., 1974.

7. *Леонтьев А. А.* Некоторые проблемы обучения русскому языку как иностранному (психологические очерки). М., 1990.

8. *Леонтьев А. Н.* Проблемы развития психики. М., 1959.

9. Методика преподавания русского языка как иностранного / Под ред. *А. Н. Щукина.* М., 1990.

10. *Ottagio A.* Teaching Language in Context. Heinle and Heinle. Boston, 1986.

11. *Пассов Е. И.* Основы коммуникативной методики обучения иностранному языку. М., 1989.

12. *Щукин А. Н.* Интенсивные методы обучения иностранным языкам. М., 1999.

Методы обучения

13. *Акишина А. А., Аннушкин В. И., Жаркова Т. Л.* и др. Методическая разработка интенсивного курса русского языка повседневного общения. М., 1989.

---

[1] В отборе литературы авторы руководствовались следующими соображениями: 1) включены работы, использованные в данной книге, в том числе и ссылки на журнальные статьи; 2) названы популярные работы, вышедшие после 1980 г. и имеющие практическую ценность. Из соображения экономии журнальные статьи из этого раздела исключены.

14. *Акишина А. А.* Интенсивный курс русского речевого поведения. РЯЗР, 1981, № 4.

15. *Bailey, Kathleen M., Nunan D.* Editors Voices from the Language Classroom. Cambridge University Press, 1996.

16. *Chaudron C.* Second Language Classroom: Research on Teaching and Learning. Cambridge University Press, 1988.

17. *Chastain, Kenneth.* Developing Second-Language Classroom Practice. Harcourt Brace Joavovich, Inc. 1988.

18. *Китайгородская Г. А.* Интенсивные методы обучения / Теория и практика. М., 1992.

19. *Лозанов Г.* Суггестопедия при обучении иностранному языку // Методы интенсивного обучения иностранным языкам: Сб. статей / Отв. ред. С. И. Мельник. М., 1976. Вып. 5.

20. Methods That Work, Oller, John W. and Patricia Richard-Amato, Editors, Newburt House Publishers, 1983.

21. *Nunan D.* Research Methods in Language Learning. New York. Cambridge University Press, 1992.

22. *Seliger H. W. and Shohamy E.* Second Language Research Methods. Oxford University Press, 1989.

Принципы коммуникативной методики

23. *Арутюнов А. Р., Костина И. С.* Коммуникативная методика русского языка как иностранного и иностранных языков. М., 1992.

24. Interactive Language Teaching, Wilga Rivers editor. Cambridge University Press, fifth printing, 1992.

25. *Johson, Karen E.* Understanding Communication in Second Language Classroom. Cambridge University Press, 1995.

26. *Lee J., VanPatten B.* Making Communicative Language Learning Happen. N.Y.: McGraw-Hill, 1995.

27. *Nunan D.* Desinging Tasks for Communitive Classroom. Cambridge University Press, 1989.

28. *Nunan D.* The Learner-Centered Curriculum. Cambridge University Press, 1990.

29. *Richard J. C.* The Context of Language Teaching. Cambridge University Press, 1991.

30. *Rivers W. M.* Communication Naturally in a Second Language. Cambridge University Press, sixth printing, 1989.

31. *Rivers W. M.* Speaking in Many Tongues, 3rd edition. Cambridge University Press, 1983.

32. *Savignon S. J.* Communicative Competence: Theory and Classroom Practice, second edition. McGraw Hill Publishers, 1997.

33. Teaching English as a Second or Foreign Language / Marianne Celce-Murcia, Editor. Newbury House, 1991.

34. The Communicative Approach to Language Teaching. Brumfit C. J. and Johnson K editors. Oxford University Press, 1983.

Теория речевой деятельности (дискурса) и обучение иностранному языку

35. Взаимосвязанное обучение видам речевой деятельности / В. П. Григорьева, И. А. Зимняя, В. А. Мерзлякова и др. М., 1985.

36. *Выготский Л. С.* Мышление и речь // Собр. соч. в 6 т. М., 1982, т. 2.

37. *Cook G.* Discourse and Literature. Oxford University Press, 1994.

38. *Hatch E.* Discourse and Language Education. Cambridge University Press, 1992.

39. Discourse and Learning, Riley P. Editor. London, 1985.

40. *McKay S. L., Hornberger N. H.* editors Sociolinguistics and Language Teaching. Cambridge University Press, 1996.

41. *Kramsch C. J.* Discourse analysis and second language teaching. Washington, D.C.: Center for Applied Linguistics, 1981.

42. Language and Understanding, Brown G. et al., Editors. Oxford University Press, 1994.

Учитель и планирование урока

43. *Акишина А. А., Шляхов В. И.* Развитие русской речи в сфере профессионального общения. Личность учителя. М., 1986; Урок русского языка. Структура и технология проведения. М., 1986.

44. *Древс У., Фурманн Э.* Организация урока (в вопросах и ответах) // Пер. с нем. М., 1984.

45. *Krahnke K.* Approaches to Syllabus Design for Foreign Language Teaching. Prentice Hall, 1987.

46. *Молчановский В. В.* Преподаватель русского языка как иностранного / Опыт системно-функционального анализа. М., 1998.

47. *Nunan D.* Syllabus Design. Oxford University Press, 1988.

48. *Nunan D.* Understanding Language Classrooms: A guide for teacher-initiated action. Prentice Hall, 1989.

49. *Nunan D., Lamb C.* The Self-Directed Teacher. Managing the learning process. Cambridge University Press, 1996.

50. *Ur P., Wright A.,* Five-Minute Activities. Cambridge University Press, 1992.

51. Recipes for Tired Teachers, Sion, Christopher, editor, Addison-Wesley Publishing Company, 1991.

Место учащегося в обучении: стратегии обучения

52. *Акишина А. А., Шляхов В. И.* Развитие русской речи в сфере педагогического общения / Общение повседневное и педагогическое. М., 1986; Что надо знать об учащемся. М., 1986.

53. *Anderson J.* Cognitive Psychology and its Implications. San Francisco: Freeman, 1985.

54. *Guild P. B., Garger S.* Marching to Different Drummers. Association for Supervision and Curriculum Development, 1985.

55. *Gregork A. F., Gregork.* Style Delineator. Maynard, MA: Gabriel Systems, Inc., 1982.

56. *Grasha A.F., Reichman S.W.* Student Learning Styles Questionnaire. Cincinnati, OH: University of Cincinnati Faculty Resource Center, 1975.

57. *Dunn R.* Capitalizing on students perceptual strengths to insure literacy while engaging in conventional lecture / discussion. Reading Psychologe: An International Quarterly, 9, 1988.

58. *Dunn R., Beaudry J. S. Klavas A.* Survey of research on learning styles. Educational Leadership, 46, 1989.

59. *Зимняя И. А.* Психология обучения неродному языку. М., 1989.

60. *Jonassen D. H., Grabowski B. L.* Handbook of Individual Differences, Learning and Instruction. Hillside, New Jersey: Lawrence Erlbaum Associates Publishers, 1993.

61. *Keirsey D., Bates M.* Please Understand Me: Character and Temperament Types. Del Mar, CA: Prometheus Nemesis Book Company, 1984.

62. *Kroeger O., Thuesen J. M.* Type Talk. New York: Dell Publishing, 1988.

63. *Kolb D. A.* Experiential Learning: Experience as a source of learning and development. Englewood Cliffs, Nj: Prentice Hall, 1984.

64. *Леонтьев А. Н.* Проблемы развития психики. М., 1959.

65. *Леонтьев А. А.* Некоторые проблемы обучения русскому языку как иностраннному (психологические очерки). М., 1980.

66. *Ливер Б.* Обучение всего класса. Салинас, Калифорния: АИГО (American Institute of Global Education), 1993.

67. *Ливер Б., Оксфорд Р.* Методы познания: руководство для учащихся. Салинас, Калифорния: АИГО, 1995.

68. *Nunan D.* The Learner-Centered Curriculum. Cambridge University Press, 1990.

69. *O'Brian L.* Special Diagnostic Studies. Rockville, MD, 1990.

70. *Oxford R.* Language Learning Strategies. Heinle & Heinle, 1990.

71. *Оксфорд Р.* Аналитический обзор стиля обучения (АОСО): разработка самостоятельного метода оценки восприятия и запоминания // Вопросники. Салинас, Калифорния: АИГО, 1993. (Издано по-русски как часть «Проекта обновления гуманитарного образования в России»).

72. Развитие русской речи в сфере профессионального общения: что надо знать об учащемся. М., 1986.

73. *Rubin J., Thompson I.* How to Be a More Successful Language Learner. Heinle & Heinle, Boston, 1982.

74. *Tarone E., Yule G.* Focus on the Language Learner. Oxford University Press, 1989.

75. *Van Lier L.* The Classroom and the Language Learner: Ethnography and Second-Language Classroom Research. London: Longman, 1988.

76. *Wenden A., Rubin J.* Learner Strategies in Language Learning. Prentice Hall International, 1987.

77. *Wenden A.* Conceptual Background and Utility in Learner Strategies in Language Learning. *Wenden A. Rubin J.* ed. New York: Prentice Hall International, 1987.

78. *Hill J. E.* The Educational Sciences. Bloomfield Hills, MI: Oakland Community College Press, 1976.

79. *Chamot A .U., Kupper L.* Learning Strategies in Foreign Instruction. Foreign Language Annals, 1989. Vol. 22.

Теории усвоения иностранного языка

80. *Выгодский Л. С.* Избранные психологические исследования. М., 1956.

81. *Зимняя И. А.* Психология обучения неродному языку. М., 1989.

82. *Зимняя И. А.* Психологические аспекты обучения говорению на иностранном языке. М., 1985.

83. *Ellis R..* Instructed Second Language Acquisition. Blackwell, 1990.

84. *Китайгородская Г. А.* Интенсивное обучение иностранным языкам: Теория и практика. М., 1992.

85. *Krashen S.* Principles and Practice in Second Language Acquisition, New York: Prentice Hall International, 1987.

86. *Krashen S.* The Input Hypothesis: Issues and Implications, London and New York: Longman, 1985.

87. *Krashen S., Tracy.* Terrell The Natural Approach: Language Acquisition in the Classroom. Hayward, CA: Alemany Press, 1983.

88. *Lozanov G.* Outlines of Suggestology. N.Y. Gordon and Breach, 1978.

89. *McLaughlin B.* Theories of Second-Language Learning, Edward Arnold, 1989.

90. Second Language Acquisition — Foreign Language Learning. Van Patten, Bill and James F. Lee editors, Multilingual Matters, 1989.

91. *Theodore V. Higgs and Ray Clifford.* The Push Toward Communications // Theodore V. Higgs ed., *Curriculum, Competence* and the Foreign Language Theacher. ACTFL Foreign Language Education Series, vol. 13. Lincoln word, Ill, National Textbook, 1982.

Учебник, упражнения

92. *Арутюнов А. Р.* Теория и практика создания учебников русского языка для иностранцев. М., 1990.

93. *Вохмина Л. Л.* Хочешь говорить — говори / 300 упражнений по обучению устной речи. М., 1993.

94. *Вятютнев М. Н.* Теория учебника русского языка как иностранного. М., 1990.

95. *Каган О.* Теория и практика написания личностно-ориентированного учебника русского языка как иностранного / Канд. дис. М., 1997.

96. Source NUNAN. Designing Tasks for the Communicative Classroom. Cambridge University Press, 1989.

97. *Трушина Л.Б.* Содержание и структура учебника русского языка как иностранного. М., 1981.

98. *Шляхов В. И.* Индивидуализация обучения и проблема создания самоучителя русского языка / Канд. дис. М., 1982.

Игры на уроках языка

99. *Акишина А., Жаркова Т., Акишина Т.* Игры на уроках русского языка. М., 1989.

100. *Баев П.М.* Играем на уроках русского языка. М., 1990.

101. *Wright A., Betteridge D., Buckby M.* Games for Language Learning. Cambridge University Press, seventh printing, 1989.

102. *Wright A.* Pictures for Language Learning. Cambridge University Press, 1989.

Устная речь

Говорение

103. *Акишина А. А., Формановская Н. И.* Русский речевой этикет. М., 1989.

104. *Акишина А. А., Акишина Т. Е.* Этикет телефонного разговора. М., 1989.

105. *Алхазишвили А.А.* Основы владения устной речью. М., 1988.

106. *Bygate M.* Speaking. Oxford University Press, 1987.

107. *Вохмина Л.Л.* Хочешь говорить — говори / 300 упражнений по обучению устной речи. М., 1993.

108. *Golebowska A.* Getting Students to Talk. Prentice Hall, 1990.

109. *Изаренков Д.И.* Обучение диалогической речи. 2-е изд. М., 1986. (Библиотека преподавателя русского языка.)

110. *Wright A.* Pictures for Language Learning. Cambridge University Press, 1989.

111. *Ur P.* Discussions that Work, Cambridge University Press, 1981.

112. *Maley A., Alan Duff.* Drama Techniques in Language Learning, Cambridge University Press.

113. *Формановская Н. И., Акишина А. А., Акишина Т. Е.* Спросите, попросите... М., 1989.

114. *Шипицо Л. В.* Контроль устной речи (на начальном этапе обучения). М., 1985.

Слушание

115. *Lonergan J.* Video in Language Teaching. Cambridge University Press, 1984.

116. *Stempleski, Susan and Barry Tomalin.* Video in Action. Prentice Hall, 1990.

117. *Ur P.* Listening Comprehension. Cambridge University Press, 1984.

118. *Davis, Paul and Mario Rinvolucri.* Dictation: New Methods, New Possibilities. Cambridge University Press, 1988.

Чтение

119. *Акишина А., Шляхов В.* Учим читать быстро и эффективно. М., 1991.

120. *Grellet F.* Developping Reading Skills: A Practical Guide to Reading Comprehension Exercises. Cambridge University Press, 1981.

121. *Gates G. T., Swaffar J. K.* Reading a Second Language. Center for Applied Linguistics, 1979.

122. *Hosenfield.* Second Language Reading. A curricular sequence for teaching reading strategies. Foreign Language Annals, 1981.

123. *Журавлева Л. С., Зиновьева М. Д.* Обучение чтению: На материале художественных текстов. 2-е изд., перераб. и доп. М., 1988 (Библиотека преподавателя русского языка.)

124. *Rathmeu G.* Bench Marks in Reading: A Guide to Reading Instruction in the Second Language Classroom. The Alemany Press, 1984.

125. *Nuttal C.* Teaching Reading Skills in a Foreign Language. Heinemann Educational Books, 1982.

126. *Swaffar Janet K., Arens Katherine M., Heidi Byrnes, Heedi.* Reading for Meaning: An Intergrated Approach to Language Learning. Prentice Hall, 1991.

Письмо

127. *Акишина А. А., Формановская Н. И., Акишина Т. Е.* Этикет русского письма. М., 1981.

128. *Hedge T.* Writing. Oxford University Press, fourth printing, 1991.

129. *Kroll B.* Second Language Writing: Research Insights for the Classroom. Cambridge University Press, 1990.

130. *Raimes A.* Techniques in Teaching Writing. Oxford University Press, 1983.

Преподавание грамматики

131. *Brown D. H.* Principles of Language Learning and Language Teaching, 2nd edition. Prentice Hall, 1987.

132. *Celce-Murcia, Marianne and Sharon Hilles.* Techniques and Resources in Teaching Grammar. Oxford University Press, 1988.

133. *Cruise E. J.* English Grammar for Students of Russian. Ann Arbor, MI: The Olivia and Hill Press, 1987.

134. *Дорофеева Т. М., Лебедева М. Н.* Учебная грамматика русского языка: 53 модели. Базовый курс. М., 2001.

135. *Hammer J.* Teaching and Learning Grammar. Longman, 1987.

136. *Иевлева З. Н.* Методика преподавания грамматики в практическом курсе русского языка для иностранцев. М., 1981.

137. *Иванова И. С., Карамышева Л. М. и др.* Синтаксис. М., 1998.

138. *Лебедева М. Н.* Словарь-справочник синтаксической сочетаемости глаголов. М., 2000.

139. *Остапенко В. И.* Обучение русской грамматике иностранцев на начальном этапе. М., 1987.

140. *Рассудова О. П.* Употребление видов глагола в современном русском языке. М., 1982.

141. *Скворцова Г. Л.* Употребление видов глагола в русском языке. М., 2001.

142. *Эндрюс Э., Аверьянова Г. Н., Пядусова Г. И.* Русский глагол: Формы и их функции. М., 2001.

143. *Richards J. C.* The Context of Language Teaching. Cambridge University Press, fourth printing, 1991.

144. *Rutherford W., Smith M. S. ed.* Grammar and Second Language Teaching. Boston, MA: Heinle & Heinle, 1988.

145. *Ur P.* Grammar Practice Activities. Cambridge University Press, 1988.

146. Словарь сочетаемости слов русского языка / Под ред. П. Н. Денисова, В.В. Морковкина. М., 1983.

Работа со словарем

147. *Каган О.* Отбор словаря для американский учащихся. РЯЗР, № 2, 1993.

148. *Morgan J., Rinvolucri M.* Vocabulary. Oxford University Press, 1986.

149. *Nation I. S. P.* Teaching and Learning Vocabulary. Newbury House Publishers, 1990.

150. *Слесарева И. П.* Проблемы описания и преподавания русской лексики. 2-е изд., испр. М., 1990.

151. *Taylor L.* Teaching and Learning Vocabulary. Prentice Hall, 1990.

Обучение фонетике и интонации

152. *Акишина А.А., Барановская С.А.* Русская фонетика. М., 1990.

153. *Брызгунова Е.А.* Звуки и интонации русской речи. 4-е изд. М., 1981.

154. *Шмелькова Н. А., Фролкина Л. В.* Пять уроков русской фонетики. М., 1988.

Культура как фактор обучения языку

155. *Верещагин Е. М., Костомаров В. Г.* Язык и культура: Лингвострановедение и преподавание русского языка как иностранного. 4-е изд., перераб. и доп. М., 1990.

156. *Акишина А. А., Кано Хироко, Акишина Т. Е.* Жесты и мимика в русской речи: Лингвострановедческий словарь. М., 1991.

157. *Kramsch, Claire J.* Context and Culture in Language Teaching. Oxford University Press, 1993.

158. *Seelye, H. Ned.* Teaching Culture: Strategies for Intercultural Communication. National Textbook Company, 1987.

159. *Valdes J. M.* ed. Culture Bound. Cambridge University Press, 1986.

Видео, компьютеры и Интернет

160. *Bush M. D.* Technology-Enhanced Language Learning. National Textbook Company, 1997.

161. *Cameron K.* CALL: Media, Design and Applications. The Netherlands: Swets Zeitlinger Publishers, 1999.

162. *Jager S., Nerbonne J., van Essen A.* Language Learning and Language Technology. The Netherlands: Swets Zeitlinger Publishers, 1999.

163. *Горелов И. Н.* Разговор с компьютером: Психолингвистические аспекты проблемы. М., 1987.

164. *Debski R., Levy M.* WorldCALL: Global Perspectives on Computer-Assisted Language Learning. The Netherlands: Swets & Zeitlinger Publishers, 1999.

165. *Крюкова О. П.* Самостоятельное изучение иностранного языка в компьютерном классе (на примере английского языка). М., 1998.

166. *Lonergan J.* Video in Language Teaching. Cambridge University Press, 1984.

167. *Stempleski S., Tomalin B.* Video in Action. Prentice Hall, 1990.

168. *Ur P.* Teaching Listening Comprehension. Cambridge University Press, 1984.

169. CALICO Journal <http://www.calico.org/publications.html>

170. CALL. An International Journal <http://www.sets.nl/sps/journals/call.html>

171. Language Learning and Technology <http://llt.msu.edu>

Тестирование и уровни языковой и коммуникативной компетенции

172. ACTFL Proficiency Guidelines (see Alice Ommagio Hadley Teaching Language in Content, Heinle & Heinle, 1993).

173. *Банкевич Л. В.* Тестирование лексики иностранного языка. М., 1981.

174. Бизнес-контакт / Тесты по русскому языку как иностранному для делового общения / Под ред. Л.С. Журавлевой. М., 1996.

175. Головной центр тестирования граждан зарубежных стран по русскому языку как иностранному // Комплект основных документов. М., 1998.

176. Государственный образовательный страндарт по русскому языку как иностранному.

а) Элементарный уровень. Общее владение;

б) Базовый уровень. Общее владение;

в) Первый уровень. Общее владение;

г) Второй уровень. Общее владение;

д) Третий уровень. Общее владение;

е) Третий уровень. Профессиональный модуль «Филология». М.—СПб., 1999.

177. *Higgs T., Clifford R.* The Push Toward Communication // Curriculum, Competence and the Foreign Language Teacher. Higgs T. ed. ACTFL Foreign Language Education Series, volume 13. Lincoln word, Ill.: National Texbook, 1982.

178. *Hughes A.* Testing for Language Teachers. Cambridge University Press, 1989.

179. Defining and Developing Proficiency: Guidelines, Implementations and Concepts, Byrnes, Heidi, Canale, Michael editors, Nationals Textbook Company, 1987.

180. Methodology in TESOL: A Book of Readings, Long, Michael and Richards, Jack, editors. Harper & Row, 1987.

181. *Madsen H. S.* Techniques in Testing. Oxford University Press, 1983.

182. *Rivers W. M.* Speaking in Many Nobgues. Cambridge University Press, 1990.

183. *Томпсон И.* Опыт прагматического тестирования устной коммуникации: тест-интервью. «Русский язык за рубежом», № 3, 1990.

СОДЕРЖАНИЕ

Раздел 4. СТРУКТУРА ЯЗЫКА

Раздел 5. УЧЕНИК — УЧИТЕЛЬ — УРОК — УЧЕБНИК

Учебное издание

Алла Александровна Акишина
Ольга Евгеньевна Каган

УЧИМСЯ УЧИТЬ

Для преподавателя русского языка как иностранного

Редактор *Н. М. Подъяпольская*
Корректор *В. К. Ячковская*
Компьютерная верстка, оформление *М. А. Нянюкина*

Издательская лицензия ЛР № 070998 от 27.11.98
Гигиенический сертификат 77.99.11.953.Д.004634.08.01 от 10.08.2001 г.

Подписано в печать 24.01.02
Формат 60 × 90 $^1/_{16}$. Гарнитура Таймс. Печать офсетная.
Усл. печ. л. 16. Тираж 1000 экз. Заказ 498

ЗАО «Русский язык. Курсы»
109544, Москва, ул. Рабочая, 20а
Тел. 278-75-91
e-mail: kursy@online.ru
http: // inlang.narod.ru

Отпечатано в ФГУП «Щербинская типография»
113623, Москва, ул. Типографская, 10